Akira Mizubayashi

Une langue venue d'ailleurs

Préface de Daniel Pennac

Gallimard

Cet ouvrage a précédemment paru dans la collection
L'un et l'autre dirigée par J.-B. Pontalis.

Écrivain et traducteur japonais, Akira Mizubayashi est né en 1951. Après des études à l'université nationale des langues et civilisations étrangères de Tokyo (Unalcet), il part pour la France en 1973 et suit à l'université Paul-Valéry de Montpellier une formation pédagogique pour devenir professeur de français (langue étrangère). Il revient à Tokyo en 1976, fait une maîtrise de lettres modernes, puis, en 1979, revient en France comme élève de l'École normale supérieure. Depuis 1983, il enseigne le français à Tokyo, successivement à l'université Meiji, à l'Unalcet et, depuis 2006, à l'université Sophia. *Une langue venue d'ailleurs* (2011) a reçu le prix de l'Académie française, le prix du Rayonnement de la langue et de la littérature françaises, et, de l'Association des écrivains de langue française, le prix Littéraire de l'Asie.

PRÉFACE

Comment dire ?
Nanto ittara iika ?

« Je me considérerai comme mort quand je serai mort en français. Car je n'existerai plus alors en tant que ce que j'ai voulu être, par ma souveraine décision d'épouser la langue française. » *Akira Mizubayashi*

Voici donc un Japonais qui habite notre langue. Plus, qui la vit. Plus encore, qui l'existe. Oui, il faut bien s'autoriser cette transitivité fautive si l'on veut donner la plus petite idée de la fusion qui s'est opérée entre Akira Mizubayashi et le français où il s'est délibérément incarné.

Soit un jeune Japonais des années 70. Accablé par les « maux de langue » que lui inflige son idiome natal — qu'il juge paralysé par le conservatisme, avili par l'injonction consumériste et tétanisé par l'hystérie mimétique des doxas soixante-huitardes —, il étouffe. Il se sent immensément seul. Et se tait. Quelque chose en lui aspire à une existence dont les moyens lui manquent. Il lui faut un outil de penser, une méthode pour accéder à ce qui, confusément, se dit en lui, une langue sienne, pour y renaître. Ce sera le français. Et c'est comme s'il la créait, cette langue venue d'ailleurs, tant elle est le fruit d'une nécessité intime. L'amour d'un père, bouleversant d'attention et d'inépuisable passion pédagogique (au point d'apprendre la natation à ses deux garçons sans savoir nager lui-même!), l'accompagnera tout au long de cet apprentissage. « Le français, dit Akira Mizubayashi est ma langue paternelle. »

Le jeune homme entre en français sous le double auspice de la littérature et de la musique : « La littérature me paraissait relever d'un autre ordre de parole. Elle tendait vers le silence. Une autre langue était là, qui se détachait de la fonction répétitive, monétarisée du discours social. » *Quant à la musique, ce sera Mozart, au premier chef, dont* Les Noces de Figaro *lui ouvriront les portes du XVIIIᵉ siècle.*

Et le voici apprenant le français des Lumières.

Et le voici parlant couramment le Rousseau.

Et le voici dix-huitiémiste éminent.

Et le voici séjournant en France.

Et le voici épousant une Française.

Et le voici à ce point familier de notre langue qu'il ne l'est plus vraiment de la sienne. Presque français et plus tout à fait japonais. Presque français car le français qui se parle ne se laisse jamais tout entier posséder par une oreille née ailleurs, plus tout à fait japonais car ce qui se pense désormais en lui il doit le traduire en sa langue natale, inadaptée à la structure même de cette pensée. Akira Mizubayashi passe donc sa vie entre ce presque *et ce* plus tout à fait. *Loin d'être un*

lieu de frustration, cet espace de double « étrangéité »
— passionnément revendiquée par l'auteur dans son
rapport à l'autre, à tous les autres ! — est le terrain
d'une permanente recherche de l'exactitude.

Ceux qui le connaissent savent que la question
la plus fréquente posée par Akira Mizubayashi, sur
ce ton de calme concentration qui le caractérise, est :
« Comment dire ? » Soit, en japonais : « Nanto ittara
iika ? » Question à ne pas prendre pour une quel-
conque interrogation lexicale ; elle dit l'exigence intel-
lectuelle d'un homme qui a voué sa vie à penser
au plus précis pour parler au plus juste. Exigence
dont Une langue venue d'ailleurs *témoigne fort*
justement.

Comment dire ? Nanto ittara iika ? Par exemple, en
écrivant ce livre si passionnément convaincant.

Daniel Pennac

À Daniel et Minne.

À celles et à ceux qui, sans le savoir, m'ont aidé à naître à la langue de ce livre.

En souvenir de Mélodie qui a si bien rythmé ma vie durant ces douze dernières années.

Et, bien sûr, à Michèle.

I

TOKYO

1

En 1983, je fis la connaissance de Maurice
Pinguet, l'auteur de *La Mort volontaire au Japon*
(Gallimard, 1984). Je venais de rentrer de Paris
où j'avais vécu trois ans et quelques mois. C'est
Paul Bady, professeur de chinois à l'École normale supérieure, qui me présenta à Maurice qui
enseignait alors à l'université de Tokyo. Ayant
terminé un doctorat à Paris, j'étais à la recherche
d'un poste d'enseignant. Notre rencontre eut
lieu, je m'en souviens, dans le quartier de
Hongo, près du Portique rouge de Todai (c'est
le nom abrégé de l'université de Tokyo). Il
pleuvait à torrents. Je vis un homme qui portait
un ciré bleu foncé avec une capuche s'avancer
lentement vers moi. Le bleu se détachait sur
le rouge : étrange effet d'estampe. L'homme
n'avait pas de parapluie. C'était Maurice. Le
temps de prendre un café bien chaud, nous
évoquâmes les souvenirs de la rue d'Ulm. Maurice comprit que le jeune homme de trente
ans, titulaire d'un doctorat français, souhaitait

trouver un emploi dans l'enseignement supérieur. Il me demanda si, en attendant, je pourrais l'aider à écrire son livre, alors en phase d'achèvement. Je ne sais pas s'il avait réellement besoin d'aide ou si c'était, de sa part, une façon de m'aider, de me faire travailler afin que je gagne quelques sous. Maurice ne lisait pas le japonais ; pas suffisamment en tout cas pour circuler librement dans les textes. Il me demanda de lire à sa place et pour lui des textes en japonais, de les lui résumer oralement et de discuter avec lui à partir et autour de ces textes. Séduit par l'élégance de la personnalité de Maurice, j'acceptai sa proposition. Nous décidâmes de nous rencontrer régulièrement dans un café près de l'ambassade de France à Tokyo pour de longues heures de conversation sur des sujets aussi variés que passionnants, tous relatifs aux traits constitutifs de la société et de l'imaginaire japonais. À l'issue de ces entretiens, une dizaine au total, il tint à me payer au tarif selon lequel il était lui-même payé à l'Institut franco-japonais et il ajouta, avec son sourire habituel et d'une voix douce de baryton, que je parlais le français comme quelqu'un qui le parle depuis l'âge de cinq ans, et qu'il n'avait jamais connu, depuis sa lointaine installation au Japon, un cas semblable. C'était comme si une pensée clandestine longtemps retenue eût enfin trouvé une issue...

— Akira, tu parles un français !... Excuse-moi, je suis obligé de le dire... Je perçois, de temps à autre, une pointe d'accent méridional, c'est tout. Je te dirai d'ailleurs que c'est très agréable. Comment se fait-il que tu n'aies pas d'accent comme les autres ?

— Oui, j'ai vécu un peu plus de deux ans à Montpellier. C'est là que j'ai dû l'attraper. Le japonais n'est pas une langue que j'ai choisie. Le français, si. Heureusement on peut choisir sa langue ou ses langues. Le français est la langue dans laquelle j'ai décidé, un jour, de me plonger. J'ai *adhéré* à cette langue et elle m'a adopté... C'est une question d'amour. Je l'aime et elle m'aime... si j'ose dire…

On me l'a dit, en effet, et combien de fois : « C'est troublant que tu parles comme ça sans accent... » Combien de fois ! On m'a souvent pris aussi pour un Vietnamien né en France ou un Chinois issu de l'immigration, grandi en France. Chaque fois, j'ai dû expliquer et préciser :

— Non, je suis un pur produit japonais...

Un jour, mon père m'a montré un petit arbre généalogique qui remontait au moins à quatre ou cinq générations. Pas un seul étranger apparemment. Personne qui soit venu d'*ailleurs*. J'ai commencé à apprendre le français à l'âge de dix-neuf ans, à l'université. Le français, c'était purement et simplement une langue étrangère, totalement étrangère au départ. Ma vie se divise en deux portions de durée inégale : mes dix-huit premières années *monolinguistiques*, même si j'ai appris l'anglais au collège et au lycée (l'anglais chez moi a toujours gardé le statut de langue étrangère, c'est-à-dire *extérieure à moi*) ; la suite de mon existence, de la dix-neuvième année à aujourd'hui, placée sous la double appartenance au japonais et au français. L'un a surgi en moi ; il s'est ensemencé au fond de moi ; d'une certaine manière, il était toujours déjà là ; il est, si j'ose dire, de constitution *verticale*. L'autre, c'est la langue vers laquelle j'ai cheminé avec patience et impatience tout à la fois ; je me suis déplacé vers elle ; c'est celle que je suis allé recueillir tandis qu'elle m'a accueilli en elle ; elle m'est venue de loin, avec un retard considérable de dix-huit ans. Elle est de nature *horizontale*, d'une étendue immense qui conserve toujours des recoins inexplorés, des vides à remplir, des espaces à conquérir.

Je pourrais maintenir mes interlocuteurs français un certain temps dans l'illusion de se trouver face à un francophone natif... Mais assez vite ils s'apercevraient que je ne suis pas de leur pays.

2

Ma mère mit un garçon au monde en août 1951 dans une petite ville de province du nord du Japon. L'enfant arriva aux aurores presque tout seul. C'était moi. Dix-neuf ans plus tard, je commençai à dire mes premiers mots en français. Depuis lors, je n'ai pas arrêté de naviguer entre la langue qui est la mienne, le japonais, parce qu'elle vient de mes parents, et le français qui est également la mienne parce que j'ai décidé de me l'approprier pour m'y installer, pour vivre en pleine conscience ma progressive accession à cette langue aimée et choisie.

Je m'inscrivis en avril 1970 à l'université nationale des langues et civilisations étrangères de Tokyo, un établissement spécialisé dans les études de langues, l'équivalent en plus petit de l'INALCO. Les cours ne commençaient que deux mois après. L'université était saccagée. Ayant été le bastion des étudiants en colère dans les années 1968-1969 (il y eut mai 68 à l'autre bout du monde aussi ; mais le nôtre était un mai 68 qui, contrairement à celui de la France, ne semble pas avoir laissé de traces profondes dans la société, ni dans les mœurs ni dans les universités), elle n'était pas en mesure d'assurer les cours avant le 1er juin (au Japon, l'année universitaire débute en avril). J'avais devant moi deux mois de liberté totale. J'avais hâte d'apprendre le français.

Mon premier contact avec la langue de Molière, avant même le début des cours à l'université, eut lieu lors d'un cours de français donné à la Radio nationale japonaise. Il y avait deux niveaux : niveau débutant diffusé quatre fois vingt minutes du lundi au jeudi, niveau moyen assuré deux fois par semaine le vendredi et le samedi. Je commençai par le premier bien sûr et j'y pris goût. Quelque chose de nouveau me saisissait, moi qui n'avais connu au lycée que des cours d'anglais où l'on entendait très peu d'anglais mal prononcé et beaucoup de japonais peu sonore et mal articulé : c'était la présence quotidienne de deux invités français : Nicolas Bataille, le metteur en scène de *La Cantatrice chauve*, et Renée Lagache, une Française installée à Tokyo depuis un certain nombre d'années. Leur présence était avant tout et presque exclusivement celle de leurs voix et de la vibration sonore des énoncés qu'elles portaient et véhiculaient. Un professeur japonais, de renom d'ailleurs, était là pour expliquer la grammaire, mais il était discret, presque comme un figurant alors que, de toute évidence, c'était lui l'animateur ; le contenu de chaque leçon se réduisait à des sons à la fois clairs et veloutés, produits par les deux invités. C'était pour moi comme un récital à deux voix, un concert retransmis en différé où la voix de l'homme et celle de la femme se cherchaient, se répondaient, se confondaient, s'entrelaçaient dans leur mouvement phonique délicat et soigneusement défini.

Mais pourquoi voulais-je tant entrer dans l'univers du français ? Pourquoi ai-je choisi cette langue entièrement ignorée ? Pourquoi enfin ai-je décidé de m'engager dans l'histoire sans fin d'un long et patient apprivoisement d'une langue étrangère ?

Dans les années 1970, la politique était encore très présente sur les campus universitaires. Les séquelles des événements de 68 étaient là, cruellement visibles : murs tagués, matériels abîmés, salles endommagées. J'arrivais dans un paysage désenchanté, dans un lieu meurtri qui témoignait de la violence des actes perpétrés. Mais ce qui gênait le jeune homme de dix-huit ans, ce n'était pas ces stigmates sociaux qui ne favorisaient guère la concentration, ni le désenchantement, ni l'absence d'élan collectif nécessaire aux études. C'était plutôt le vide des mots : des gauchistes, comme des revenants sur un champ de bataille où gisent des cadavres mutilés, usaient inlassablement de discours politiques stéréotypés à grand renfort de rhétorique surannée. La jeunesse communiste n'échappait pas non plus à cette usure de la langue. Quant à la majorité des étudiants non politisés ou dépolitisés, ils se muraient dans une hébétude satisfaite qui annonçait sans doute le consumérisme bavard des années à venir. Bref, des mots dévitalisés, des phrases creuses, des paroles désubstantialisées *flottaient* sans attache autour de moi comme des méduses en pullulement. Partout il y avait de la langue, de la langue fatiguée, pâle, étiolée : paroles proférées à travers micros et porte-voix, vocables tracés sur de gigantesques panneaux, discours imprimés dans des tracts qui puaient l'encre, tout cela constituait mon quotidien linguistique, et de tout cela, c'est cette sensation, désagréable voire intolérable, de *flottement* qui m'est restée. (Y avait-il là un écho lointain de l'*ukiyo*, « monde flottant » — monde incertain en perpétuelle dérive — comme on dit en japonais à l'image d'une *ukikussa*, plante flottante ? C'est possible.) C'étaient des mots qui ne s'enracinaient pas, des mots privés de tremblements de vie et de respiration profonde. Des mots *inadéquats, décollés*. L'écart entre les mots et les choses était évident. L'*insoutenable légèreté* des mots, le sentiment que les mots n'atteignent pas le plus profond des êtres et des choses me mettaient dans un état de méfiance que je ne me cachais pas, et que surtout je ne cachais pas à ceux qui m'entouraient. Le refuge, c'était la famille qui, protégée contre les nuisances du discours social, semblait transcender l'usage de la parole. J'étais seul. Je ne voyais personne. Les rares paroles qui sortaient de ma bouche n'allaient guère au-delà des limites de la liturgie linguistico-sociale. Bref, je me comportais en ours. À dix-neuf ans, je vivais déjà en ermite. Je ne m'ouvrais à personne. J'errais dans les rues de Tokyo avec un sentiment d'étouffement qui ne me lâchait pas : où que j'aille, partout je me sentais emmuré ; l'espace de la prison n'en finissait pas de s'étendre. J'étais traqué dans une sorte d'inflation linguistique généralisée. Il fallait que j'entreprenne une tentative d'évasion.

Le français m'est apparu alors comme le seul choix possible, ou plutôt la seule parade face à la langue environnante malmenée jusqu'à l'usure, la langue de l'inflation verbale qui me prenait en otage.

3

En fait, ce sentiment d'urgence avait germé chez moi en dernière année de lycée, en plein milieu de la préparation aux concours d'entrée aux universités. Le grondement des contestations estudiantines, avec toutes sortes de bruits qui émanaient de la société civile et commerciale, avait pénétré sans résistance dans les enceintes du lycée. Les murs de l'école étaient poreux et perméables. Les élèves contaminés par la maladie infantile d'imiter les révolutionnaires manifestaient les symptômes que je viens de décrire. Les paroles grandioses, solennelles, exagérément adultes, détachées de la réalité des préoccupations scolaires, singulièrement disproportionnées par rapport à leur innocente et misérable petitesse, sortaient des bouches juvéniles qui s'étaient transformées en une grotesque caisse de résonance, se débitaient à flots, circulaient sans entrave ni obstacle. On croyait être pleinement le sujet du discours qu'on produisait... Affreuse illusion ! Au lieu de s'éveiller à la dimension sociale de son existence, on sombrait dans l'imitation irréfléchie des actes ostentatoires. Toutefois, à l'écart des échevelés bavards et de la foule apathique, quelques solitaires, par-ci par-là, s'enfermaient, muets, dans la lecture. Ils avaient honte... honte de quoi ? honte de ne pas avoir honte, honte de l'absence de honte. Je faisais partie de ceux-là. *L'Étranger, La Nausée, Crime et châtiment, Les Fleurs du mal, Une saison en enfer, Résurrection, Le Rouge et le Noir, Madame Bovary,* etc., autant de livres qui passaient de main en main presque clandestinement comme pour s'opposer à l'arrogance de la loquacité ambiante. La littérature me paraissait relever d'un autre ordre de parole. Elle tendait vers... le *silence.* Une autre langue était là, celle qui se détachait de la fonction répétitive, monétarisée du discours social, usé à force de circuler. Cependant, on imagine aisément que la fréquentation de la littérature française ou russe traduite en japonais ne suffit pas pour pousser un adolescent tout de bon vers l'adoption d'une langue autre que la langue maternelle, d'autant plus que l'anglais, la langue étrangère par excellence dans ce pays d'Extrême-Orient, était enseigné de telle manière qu'il n'était que l'objet d'un déchiffrement sans goût, sans passion, sans amour. Il fallait un choc... de taille !

C'est dans ces circonstances où il y a décidément beaucoup de solitude qu'un événement décisif, voire un miracle, s'est produit : je suis

tombé, lors d'un examen blanc, sur un texte
doué d'une étrange et extraordinaire puissance.
En voici un extrait :

*L'essentiel, c'est de pénétrer dans les profondeurs
de l'expérience. Hors de là, il n'y a aucune solution,
aucune issue. C'est le seul chemin possible. Si rien
d'autre n'existe, il ne reste plus qu'à emprunter celui-
ci. Sinon, tout devient bavardage. [...]*

*Les mots qui proviennent d'une authentique et pro-
fonde expérience sont pourvus d'une charge singulière,
d'un poids qui défie toute qualification. C'est parce que
la vraie explication d'une parole évoquant une chose
ou un état de choses se trouve dans cette chose ou cet
état de choses. Une telle pratique de l'expression
authentique ne s'acquiert pas facilement, elle ne naît
pas spontanément non plus. [...]*

*La parole, pour devenir authentique, doit remplir
au moins une condition. C'est l'existence préalable
de l'expérience qui lui correspond. Mais, en réalité, que
de paroles en libre circulation qui se moquent souverainement de cette condition minimale ! Qu'est-ce que
l'expérience ? C'est, j'ose l'affirmer, l'histoire de la
conscience qui cherche à résister aux obstacles surgis
lorsqu'une chose s'impose à elle. Les mots qui n'en
émanent pas sont futiles et, d'une certaine manière,
faciles à comprendre. Mon intention n'est pas, loin
de là, de faire l'éloge, d'un point de vue moraliste, de
l'expérience vécue. Ce que j'appelle ici l'expérience ne
ressemble en rien à une simple expérience superficielle-
ment vécue à titre personnel.*

C'est un texte d'Arimasa Mori, philosophe et essayiste japonais, qui se trouve dans son livre de 1967, *Notre-Dame dans le lointain*. À l'époque, Mori enseignait le japonais aux Langues O (INALCO). Il était venu quinze ans auparavant à Paris pour un séjour d'un an dans le but de poursuivre et parfaire ses recherches philosophiques sur Descartes et Pascal. Mais sa vie à Paris se prolongea au-delà de la limite qu'il s'était fixée : il ne rentra pas dans son pays ; au contraire, il opta définitivement pour la capitale européenne des Arts, quitte à renoncer (chose incroyable) à son poste de professeur à la prestigieuse université de Tokyo, quitte aussi à abandonner tout ce qui constituait sa vie de Japonais à Tokyo, quitte donc à revenir au point de départ, à recommencer de zéro : il prit le risque de refaire sa vie, de renaître à une langue qui n'était pas la sienne et à la culture qui en est indissociable aussi bien qu'à la société des individus dont les rapports sont sans nul doute et largement déterminés par cette langue même. Ce choix impliquait donc l'acceptation d'une perte, ou plutôt de pertes, d'une série de pertes : perte d'une situation confortable, perte de temps, perte de tout un passé, perte de tout un avenir, perte d'une identité stable, sécurisante, perte d'honneur, perte de relations, perte peut-être de ce qui lui était le plus cher aussi : la famille.

Mori nous met en garde contre une confusion majeure selon laquelle nous prendrions sa conception de l'*expérience* pour une simple accumulation de faits vécus et d'actes accomplis. Il se positionne à mille lieues d'une telle accumulation subjective dont on fait un éloge facile et complaisant. À la lecture des lignes que je viens de citer, l'*expérience* telle que Mori essaie de la définir, l'expérience fondatrice de la parole authentique, m'est apparue d'emblée, au contraire, comme présupposant une dimension *sacrificielle* exigeant un effort ascétique, sans concession. Et c'est précisément cela qui a provoqué un bouleversement, un séisme intérieur d'une force inégalée chez le jeune homme de dix-huit ans que j'étais à ce moment-là, en automne 1969.

L'apparition de cet immense continent de l'*expérience* fut pour moi un véritable événement, voire une illumination. Je fus saisi d'une telle secousse qu'à une phase cruciale de la préparation du concours d'entrée, brusquement je laissai tomber le bachotage pour me plonger, jour après jour, semaine après semaine, mois après mois, dans la lecture des textes de cet exilé volontaire. Mes pas me dirigeaient ainsi vers la porte d'entrée de l'univers du français. Cette même année, je fus frappé, comme par la foudre, par un autre texte de Mori. Je lisais *Sur les fleuves de Babylone*, un essai en forme de journal intime. À peine avais-je lu le passage dont j'extrais les lignes suivantes, que je crus y entendre un appel, une voix :

S'agissant d'un étranger né dans un pays étranger, même s'il a passé dix ans en France, il n'a, en général, même pas le niveau d'un enfant de CP. Par conséquent, je dois avancer humblement, petit à petit, même si j'ai à peine le niveau d'un petit écolier, ou celui d'un gamin d'école maternelle. Les paroles produites dans et à travers la langue française finissent par devenir équivalentes à la chose, tel est pour moi l'objectif à atteindre. C'est seulement à ce moment-là que la chose se révélera sous un nouveau jour, s'incarnera dans une nouvelle vie. Un monde nouveau poindra. Si je réussis à éprouver un tant soit peu ce sentiment-là, c'est gagné. Pour le reste, je dois apprendre comme un enfant. Je serai alors dans un monde qui sera à des années-lumière de la traduction et de l'interprétation. [...] Les deux langues se croisent, se pénètrent. Leurs rapports ne sont pas, tant s'en faut, ceux de la traduction l'une par l'autre, l'une par rapport à l'autre.

Devant l'exigence de la langue française qui lui apparaît comme sollicitant une descente au fond des choses, une entière immersion de la part de celui qui désire l'apprendre, Mori accepte, chose incroyable après quarante ans d'apprentissage, de se reconnaître en la figure sidérante d'un jeune enfant (presque *infans*) qui arrive au monde et dans le monde, qui va naître tout juste à la langue et dans la langue. L'équivalence à atteindre entre la langue à acquérir au prix de l'investissement de toute une vie et ce que Mori appelle *la chose* indique la portée et l'enjeu de l'*expérience* qu'il faut accueillir, susciter, cultiver, préserver. Apprendre le français n'est pas l'affaire de quelques années universitaires, trouées, çà et là, de courtes ou de longues vacances... C'est, au contraire, le projet invraisemblable, hallucinant et gigantesque qui engage toute une existence. Le texte de Mori me demandait, depuis la hauteur insoupçonnée d'un discours philosophique et sur un ton austère défiant toute attitude velléitaire, si j'étais prêt à me lancer dans une telle aventure, à m'imposer une discipline de fer, à me livrer à un terrible exercice d'endurance, à m'offrir le luxe ou le risque d'une deuxième naissance, d'une seconde vie impure, hybride, sans doute plus longue, plus aléatoire, plus exposée à des ébranlements imprévisibles, plus obstinément questionneuse que la première, suffisante, auto-référentielle, peuplée de certitudes, tendanciellement repliée sur elle-même et, par cela même, parfois infatuée d'elle-même. Ma réponse fut, sans une seconde d'hésitation, oui.

4

C'est ainsi qu'en avril 1970, lorsque j'accédai enfin à l'université, le français entra dans ma vie, et commença à occuper tout mon quotidien. J'avais dix-huit ans et sept mois. Et je savais que le français allait m'accompagner pour toujours.

Mon premier contact avec cette langue s'est réalisé, je l'ai dit, à travers la leçon de français assurée à la Radio nationale par un professeur japonais en collaboration avec les deux invités dont j'ai souligné l'attrait vocal. J'écoutai toutes les leçons pendant deux ou trois semaines consécutives. Très vite, je sentis avec une sorte de douleur que tous les sons, tous les mots français effectivement entendus par mes oreilles dans leur matérialité sonore, étaient sans retour, définitivement perdus dans leur vibration éphémère ; je voulais les avoir près de moi, comme on aime avoir à sa portée les CD qu'on préfère, toujours prêts à être insérés dans un lecteur. J'eus alors l'idée toute simple de conserver les leçons,

toutes les leçons à venir, sur des bandes magnétiques, produit industriel et moyen d'archivage
disparus de nos jours. Or un magnétophone,
à l'époque, était un appareil très coûteux. Il
n'était pas à la portée d'un étudiant. Je confiai
à mon père mon désir d'enregistrer toutes les
leçons de français à la radio afin de les écouter
et de les réécouter à mon gré. Quelques jours
après, un énorme Sony, qui pesait au moins
dix kilos ct dont le prix représentait quelque
chose comme un quart du salaire de mon père,
fut livré à la maison. Je me souviens de l'imposante présence de cette machine dont je
mesurais toute la valeur monétaire et la chaleur
paternelle.

Dès le lendemain s'installa en moi la fréné-
tique manie d'enregistrer les émissions de français. Je le fis pendant trois ans jusqu'à la veille
du jour où je quittai le Japon pour me rendre en
France, à Montpellier plus précisément. La première année, j'enregistrai seulement les leçons
de niveau 1. Les deux années suivantes, ce fut
non seulement les deux émissions hebdomadaires de niveau 2, mais aussi celles de niveau 1
dont je ne me lassais pas de redécouvrir et de
réexplorer le contenu lexical, grammatical,
sonore et rythmique. Les semaines passaient, les
mois s'écoulaient. Les bandes magnétiques se
multipliaient, s'accumulaient, s'amoncelaient.
J'enregistrais tout, je n'effaçais rien. Je les écou-
tais, les réécoutais, je les reprenais depuis le

début, je revenais à celles de la semaine précédente, à celles de la semaine d'avant, à celles d'il y avait trois semaines, ainsi de suite... Les bandes que je passais et repassais fougueusement et inlassablement devenaient tout naturellement de plus en plus nombreuses. Mais rien ne me décourageait. Rien ne me rebutait. Au contraire, cette pile de bandes magnétiques de douze centimètres de diamètre, qui montait au fur et à mesure comme une petite tour de Babel, était la promesse d'une fertilité sonore, d'une réelle jouissance phonatoire, celle des paroles d'abord entendues, puis reproduites à l'identique dans et par ma propre bouche, comme dans le cas d'un tout jeune enfant qui se complaît dans l'invention d'un langage inconnu aussi bien que dans l'émission énergique de sons entièrement dépourvus de sens. Dans ma petite enfance, j'avais été cet enfant qui parlait tout seul dès qu'il n'y avait plus personne autour de lui, poussant des cris bizarres, prononçant des mots adorés, incompréhensibles en général pour les autres. Un peu comme Antoine Doinel qui, dans *Baisers volés*, répète indéfiniment son nom et celui des femmes qu'il aime devant le grand miroir de la salle de bains. Et cet enfant, devenu adulte, retrouvait, sur le chemin de l'université ou dans le silence bruyant des nuits de Tokyo, cet ineffable plaisir de phonation procuré par la production de vocables nouveaux et ignorés qu'offrait la langue française. J'étais habité par une folie de répétition.

Pourquoi répétais-je ainsi jusqu'à la satiété les sons captés et les paroles entendues à la radio ? J'avais un goût marqué pour l'imitation et c'est peut-être ce goût qui m'invitait à la répétition. Petit, j'étais doué, paraît-il, pour imiter les gestes et les manières des autres, des célébrités vues à la télévision par exemple ; j'arrivais aussi à dessiner, par quelques traits rapides, des personnes réelles, vivantes ou historiques. Un jour, je fis en quelques secondes au crayon à papier le portrait de ma grand-mère paternelle qui vivait chez nous. C'était une petite dame forte qui portait souvent un foulard noir comme une musulmane. Mon père fut stupéfait non pas de la ressemblance, mais de la façon dont l'être de sa mère se révélait dans la fulgurance de quelques lignes tracées.

Imiter, c'est le désir de devenir autre, celui de ressembler à autrui, souvent une personne qu'on admire. C'est mimer et reproduire les gestes d'un être avec qui on s'identifie volontiers. Au lycée, j'eus un professeur d'éthique qui m'impressionnait. Je n'aimais pas sa voix stridente, mais j'admirais la force persuasive de son discours. Un jour, j'eus à faire un exposé sur l'existentialisme. J'évoquai Sartre et Heidegger, je m'en souviens. J'avais une craie à la main ; j'écrivais quelque chose au tableau en prononçant je ne sais quels mots. Tout à coup, j'entendis derrière moi des éclats de rire. Je compris immédiatement pourquoi je provoquais cette hilarité générale. D'instinct j'imitais le ton et l'intonation du professeur. Les élèves crurent assister à la soudaine apparition du fantôme du professeur dans la familière présence de leur camarade.

Intrigué par le don d'imitation de son enfant, mon père décida de m'inscrire à une troupe de théâtre qui cherchait des apprentis comédiens. Mais cette étrange école où on s'adonnait à des exercices d'imitation de toutes sortes (danse japonaise, ballet, et mime précisément) me demeura étrangère, comme les enfants et les adultes qui les entouraient. Pendant cette courte période d'initiation dramatique, je jouai dans deux ou trois films de qualité sans nul doute fort médiocre. J'irais même jusqu'à croire qu'il s'agissait là de films quelque peu érotiques, car un technicien de l'équipe de tournage (c'était un homme trapu qui débitait des mots grossiers dont je ne saisissais pas totalement le sens) me dit : « Tu veux savoir dans quel genre de truc tu joues ? » Et avant d'entendre mon *oui* ou mon *non*, il commença à lire à toute allure une conversation un peu osée (c'est l'impression qui m'en est restée) entre un homme et une femme. Ce jour-là, j'étais en effet avec un monsieur et une jeune femme aux cheveux longs qui portait une robe d'une blancheur éclatante. Hors tournage, je restai longtemps sur les genoux de cette femme dont la familiarité sensuelle m'inquiétait et m'intimidait beaucoup : je sentais sur mes joues la caresse de la respiration féminine et la tiédeur parfumée de son haleine...

Enfin arriva mon tour : je devais jouer le rôle d'un enfant renversé par une voiture comme si c'était la chose la plus naturelle au monde. Un homme barbu me demanda d'écarquiller les yeux quand la voiture dans laquelle était placée la caméra me frôlait. Oui, c'était le cas de le dire : elle passait à vingt centimètres de moi à peine. On dut répéter la scène plusieurs fois. Je vois encore la voiture qui fonce sur moi... J'avais peur et en même temps je jouais la peur, la peur d'être écrasé, la peur de mourir, sous le regard bienveillant de cette femme en blanc qui était sans doute la mère fictive de ce garçon terrifié.

Je ne supportais pas les émotions fortes qui m'emportaient loin, trop loin de mon univers familier et familial auquel, par réaction, je m'accrochais davantage comme pour me protéger. À huit ans, j'avais été initié à ce mélange exquis de la fascination et de l'angoisse qui s'empare de vous entre *rester soi* et *devenir autre*. Quelques mois plus tard, je quittai la troupe.

5

Je sais que j'ai inquiété mes parents, surtout mon père qui était si attentif aux études de ses deux fils. Constamment présent à la maison auprès de ses enfants contrairement aux habitudes de la société (il faisait partie, malgré lui, de cette catégorie sociale des employés dévoués à leur boîte), il a dû remarquer que son fils cadet écoutait et réécoutait, le jour comme la nuit, pendant des heures et des heures, les mêmes émissions de français enregistrées par le magnétophone qu'il lui avait acheté. Que pensait-il de son garçon qui lui semblait sans doute s'enfoncer de plus en plus dans une sorte de torpeur auditive ?

Le désir de répondre à l'attente de mon père était-il pour quelque chose dans cette *obsession* de vouloir entrer à tout prix dans la peau des personnages que je ne faisais qu'imaginer et sentir à travers la *voix* des Françaises et Français appelés à jouer (plutôt médiocrement — ce n'étaient pas des professionnels au demeurant) dans des sketches de piètre qualité? Probablement. Mais l'attente de mon père ne se manifestait pas comme telle. Elle était discrète, elle ne passait pas par des mots. Elle se faisait seulement sentir dans une attitude entièrement consacrée à l'éducation. Il ne m'avait jamais dit de faire ceci, de faire cela; il n'avait jamais exercé une autorité paternelle à l'ancienne pour nous mettre, mon frère et moi, sur la difficile voie des études. Si, une fois, tout de même, quand j'eus treize ans (je venais de passer au collège), il me dit : « Akira, il est peut-être temps que tu t'y mettes... » C'était dit sur un tel ton de détermination mais de douceur aussi que je compris immédiatement qu'il s'agissait là d'une sérieuse décision à prendre...

Étudiant, mon père dut travailler pour nourrir toute sa famille, son père qui n'avait pas d'emploi fixe, sa mère au foyer, sa jeune sœur encore lycéenne. Vouloir persévérer dans ses études tout en travaillant, cela signifiait travailler de nuit. Il avait choisi d'être balayeur de trains. Les rames de trains revenaient, vers deux heures du matin, au centre de nettoyage de Nakano. Sa besogne consistait à faire le ménage complet de toutes les voitures : enlever tous les moutons, tous les tickets usagés, toutes les boîtes vides ou à moitié vides de repas froids, tous les chiffons de papier, tous les crachats, et toutes les vomissures de la veille, magnifiques et misérables traces des beuveries de la nuit tokyoïte.

Aujourd'hui, j'habite précisément à Nakano. Chaque fois que je descends à la gare, je passe devant une espèce d'immense hangar où, encore toutes les nuits, quelques jeunes à situation précaire (issus peut-être de l'immigration?) s'affairent à enlever les saletés immondes laissées par les folles nuits de consommation, et je pense à mon père qui, il y a plus d'un demi-siècle, tous les jours à l'aube, épuisé par le labeur nocturne, traînait son corps alourdi vers l'université. Se reposait-il, faisait-il un petit somme dans un parc ou ailleurs avant d'aller suivre ses cours? Ou renonçait-il d'emblée aux cours du matin? Je l'ignore. Quoi qu'il en soit, s'il avait eu le courage de se faufiler dans un amphithéâtre, il avait beau lutter contre la force envahissante du sommeil, on le trouvait dans un coin en train de succomber à la tentation de Morphée. Ce moment d'absence à lui-même, il ne le supporta pas. Il conserva le souvenir de cet assoupissement, de cette perte d'attention et de conscience, de ce passager mais intolérable coma sous l'irrésistible poussée d'une puissance d'engourdissement, comme un cuisant souvenir d'échec et de défaite, inavoué et inavouable. Il vécut cette impossibilité de se tenir éveillé comme une débandade, comme une capitulation de sa *volonté* devant l'impitoyable contrainte de la nature corporelle. Les fréquents moments d'assoupissement liés à sa fonction de traiteur d'immondices perturbèrent fortement le dérou-

41

lement de ses études. Au lieu de quatre ans, il mit six ans ou un peu plus pour obtenir son diplôme d'ingénieur. J'imagine qu'un pénible sentiment de perte, de privation, de dépossession, de combustion incomplète l'a torturé toute sa vie, alors qu'il était un jeune homme animé par une soif de connaissances, un frémissant désir d'apprendre, une folle envie d'accéder au royaume du savoir.

Les immondices des rames de trains nocturnes, c'était pour mon père une peste à fuir coûte que coûte pour ses deux fils. Dès l'instant de sa paternité pleinement assumée, il se fixa un objectif : celui de faire l'impossible pour assurer à sa progéniture les meilleures conditions envisageables dans les limites de ses ressources et de ses possibilités, propices à leur développement intellectuel et moral.

Le magnétophone Sony qui m'accompagnera tout au long de mes quatre années d'apprentissage jusqu'à mon départ pour Montpellier était là comme pour me témoigner cette secrète décision que mon père avait prise, lorsqu'il était devenu père.

6

Mon père, dans les années 1950, était professeur de physique dans un lycée de Sakata, une
petite ville du nord du Japon. C'est là qu'il a
connu sa femme, c'est là qu'il a eu ses deux
fils, d'abord mon frère et, quatre ans après,
moi. On dit que c'était un très bon professeur,
sérieux et passionné. « Un cours d'une heure
me demandait quatre heures de préparation »,
m'a-t-il dit un jour, quand il était devenu ingénieur électricien dans une grosse boîte de
métallurgie à Tokyo. Une légende familiale
aime à se rappeler aussi que ce petit lycée du fin
fond d'une province à mille lieues de la capitale
n'a réussi à envoyer plusieurs de ses élèves à
l'université de Tokyo (celle où Mori avait été
professeur) que pendant les quelques années
où mon père était en fonction. Une part de
sa paternité éducative était-elle réservée à ses
élèves ? Probablement.

Quand mon frère eut quatre ans, mon père
eut l'idée de l'initier à la musique : la musique

occidentale, j'entends. Je ne pense pas que mon père fut un mélomane confirmé. Certes il appréciait la musique, mais ce n'était pas une passion vitale comme plus tard chez moi. Il pouvait très bien s'en passer. Il tenait, en revanche, comme à la prunelle de ses yeux à ce qu'elle représentait : la modernité et la démocratie fondées sur la valeur suprême de l'individu. Il avait vécu la période noire du militaro-fascisme de l'empire japonais en Mandchourie où, en révolté solitaire, il avait fait *le moins possible* pour le Grand Empire prêt à s'étendre dans toute l'Asie du Sud-Est, prêt aussi à sacrifier sans états d'âme la vie des gens ordinaires à la personne soi-disant divine de l'Empereur. La résistance toute personnelle de mon père, on le devine aisément, lui avait causé des ennuis, et non des moindres, à commencer par des violences physiques frisant la torture.

À l'opposé du fanatisme belliqueux qui caractérisait l'opinion publique régnante, la musique occidentale, celle de Beethoven, par exemple, incarnait à ses yeux son exact contraire par l'expression de la volonté de construction rationnelle (les *Symphonies*) mais aussi par celle de la douceur attendrissante (les deux petites *Romances pour violon et orchestre* qu'on lui offrit en cadeau de mariage). L'époque était celle d'un nationalisme abruti et abrutissant. Les gendarmes étaient à la poursuite du moindre signe dénotant l'intrusion d'un élément culturel extérieur à la prétendue clôture nationale. La musique occidentale considérée comme relevant de la culture des ennemis était prohibée. Il fallait un certain courage pour s'y intéresser.

Un jour, ma mère fut témoin d'une scène étonnante et cocasse tout à la fois. Dans sa maison, qui était une pension, elle entendit vaguement venir de quelque part une mélodie européenne ; ses pas et le frottement des manches du kimono qu'elle portait la dérangeaient ; elle s'arrêta. Elle prêta oreille au silence. Un morceau de musique occidentale d'une résonance feutrée, étouffée, se faisait entendre imperceptiblement ; il venait d'une chambre voisine occupée par mon père alors locataire. Elle frappa à la porte. Pas de réponse… Elle entrouvre timidement la porte. Personne. C'est alors que tout doucement, la porte coulissante du placard mural (*oshiire*) s'ouvre et que sort de ce petit réduit sombre à peine plus grand que le coffre d'une voiture son futur mari, accroupi, recroquevillé, et, en grande netteté sonore, le mouvement lent de la *Symphonie pastorale*.

Je vois dans cette écoute clandestine de mon père la *volonté* d'une résistance solitaire, volonté empreinte d'amour de la musique tout de même.

Quoi qu'il en soit, mon père a voulu que mon frère fasse de la musique. Tout l'Occident qu'il aimait, qu'il appréciait dans le registre des *sciences* (ancienne victime de l'obscurantisme religieux dans un temple bouddhique où il avait vécu enfermé plusieurs mois à titre d'apprenti bonze, il s'était épanoui dans les démarches scientifiques dont il a toujours admiré la rigueur et la puissance), se logeait également dans la musique classique. On n'accédait pas à la physique de Newton à quatre ans, mais on pouvait entrer dans la musique et y marquer ses premiers pas. C'est au cœur de ce monde autre, ce monde de l'Autre qui l'avait libéré du fanatisme politico-religieux des années catastrophiques de l'avant-guerre qu'il a voulu, d'emblée, introduire mon frère.

Celui-ci commença d'abord à prendre des leçons de piano. Il fallut se procurer un piano, un objet de luxe s'il en fut, une marchandise rare, un instrument énorme et lourd pour une petite maison japonaise en bois et en papier. Ma grand-mère paternelle m'a raconté un jour l'arrivée à la maison de notre piano droit Kawai (je dis *notre*, car quelques années plus tard il était devenu mon compagnon aussi) pour lequel mon père avait payé une somme correspondant à douze mois de son salaire de professeur. Toute la famille du côté maternel s'était opposée à cet achat. « Oh ! un piano ?! tu te crois de quelle condition, toi ! » avait dit ma grand-mère maternelle à sa fille déjà gagnée aux convictions pédagogiques de son époux.

Enfin, le piano arriva. Quatre ou cinq grands gaillards l'introduisirent dans la toute petite pièce qui faisait office de séjour. Ils le descendirent tout doucement du camion. Ils le soulevèrent d'un coup, puis le déplacèrent pas à pas avec une extrême précaution pour ne pas le cogner. Ils eurent du mal à monter les cinq marches qui menaient à l'entrée de la maison. Cependant les gens du quartier, des voisins immédiats, des voisins plus lointains, des passants, des commerçants du coin, la marchande de thé, le poissonnier et sa femme, le marchand de tofu, le photographe, le menuisier s'étaient assemblés. Cela constituait une petite foule :

— Qu'est-ce que c'est ? Qu'est-ce qui se passe ?

— Il paraît qu'ils ont acheté un piano pour leur gosse. Vous vous rendez compte ? Un piano !

— C'est la première fois que je vois un truc pareil ! C'est énorme ! Ça a l'air vachement lourd ! Ils sont cinq !

— Ça doit coûter la peau des fesses !

— Tu parles ! Un an de salaire, il paraît ! Un an, tu entends ?

— C'est de la folie ! Je ne sais pas comment ils font pour s'en sortir... La dame travaille ?

— Le monsieur est professeur là-bas, au lycée !

Était-ce de l'envie, de la jalousie ? Sans doute. Mais c'était une envie, une jalousie mêlées d'ad-

47

miration aussi. Le piano de mon frère, c'était un peu, à une échelle incomparablement plus modeste bien sûr, mon magnétophone Sony. C'était l'incarnation de la volonté paternelle prête à aller jusqu'au bout, à faire l'impossible pour son enfant, pour la culture de son esprit, l'épanouissement de ses ressources intérieures.

7

Assez vite, mon frère passa du piano au violon et fit des progrès hors de toute attente dans la maîtrise de l'archet et de l'instrument à cordes. Le maître se sentit dépassé. Les capacités d'enseignement du seul professeur de violon de Sakata se trouvèrent épuisées en moins de deux ans. À l'issue d'une de ses leçons hebdomadaires, le maître dit à mon père : « Il faut qu'il aille prendre des leçons à Tokyo maintenant, chez un maître digne de son niveau et de son talent. Inutile de rester avec moi, je ne peux rien lui apporter désormais. Je connais une dame tout à fait extraordinaire. Je vous fais une lettre de recommandation. Vous irez la voir de ma part, avec le petit. D'accord ? »

Mon père prit au sérieux le conseil du maître. Il écrivit à Mme Suzuki, la *dame tout à fait extraordinaire*, et prit rendez-vous avec elle. Il alla à Tokyo avec son fils. Il lui expliqua qu'ils allaient voir ensemble une grande dame du violon. Ils prirent un train de nuit. Ils mirent quatorze heures pour arriver à Tokyo. Ils se présentèrent chez elle à l'heure indiquée. Une maison blanche avec un grand jardin en pelouse apparut devant mon père. Il sonna. Une jeune femme en blanc d'une élégance éclatante ouvrit la grande porte lourde. C'était Mme Suzuki. Derrière elle somnolait un grand chien, un colley, berger écossais à poil long. Les salutations une fois échangées, le fils joua devant la grande dame du violon. L'audition dura plus d'une heure. Mme Suzuki invita mon père à s'asseoir sur le grand canapé qui occupait le milieu de la vaste salle de séjour servant de salle de leçon avec un Bösendorfer.

— Monsieur Mizubayashi, je voudrais bien m'occuper de votre fils. C'est pas mal du tout, ce qu'il fait. Je serais heureuse de voir comment il va grandir. Vous pouvez venir à Tokyo combien de fois par mois ? L'idéal, ce serait que je le voie une fois tous les quinze jours, mais c'est peut-être trop vous demander…

— …

En fait, mon père était venu à Tokyo pour entendre autre chose, pour se persuader que ce n'était pas la peine de persévérer. Il s'était secrètement préparé à une parole dissuasive. Il s'attendait que la *dame tout à fait extraordinaire* le dissuadât de vouloir poursuivre la voie de la musique pour son fils.

— Pensez-vous, madame, que mon fils soit suffisamment doué pour continuer ? Croyez-vous qu'il vaille la peine de faire quatorze heures de train pour ce gosse?

— Oui, oui, absolument... Absolument.

Ainsi commença un long chemin, un chemin de musique, un chemin de vie, un chemin d'effort, pour mes parents, pour mon frère et, sans doute, pour moi aussi en *tiers instruit*.

Un jour d'hiver, dans les années 1955-1956.

Train de nuit.

Une voiture de troisième classe. Pas de compartiments. Un espace unique où les passagers se trouvent pêle-mêle, entassés. Odeurs de brûlé, de tabac, de transpiration, mélangées. Saleté par terre : mégots, petites boules de riz écrasées, des bouteilles de saké vides, des journaux froissés ou déchirés... Émanations des corps trop près les uns des autres. Sensation d'enfermement et d'étouffement.

Six heures du matin. Il fait encore nuit. Quelque lueur à l'horizon, à peine. Certains voyageurs émergent de leur sommeil tandis que d'autres, à voix basse, n'arrêtent pas de parler : un bourdonnement permanent de voix sourdes. Puis, *gatan-goton, gatan-goton, gatan-goton, gatan-goton, gatangoton...* le bruit infernal du train emplit tout l'intérieur. On a sommeil, mais on est tellement mal assis, tellement serrés et tellement pris dans ce tintamarre continuel que personne ne dort vraiment. Dans un coin, près de la fenêtre, un enfant de huit à neuf ans environ dort encore la tête appuyée contre la vitre. À côté de lui, un homme âgé d'une quarantaine d'années sort de son sac en toile verte un livre mince de grand format. Sur ses genoux la boîte d'un petit violon. Il secoue le gamin :

— Réveille-toi. C'est l'heure.

Lentement, l'enfant se redresse. Il se frotte les yeux mi-ouverts.

— Ça va, mon petit ? Tu as bien dormi ? Tu veux aller faire pipi ?

Sans attendre la réponse du garçon, le père le prend par les bras et le conduit, parmi la foule des passagers plutôt réveillés qu'endormis, vers les toilettes. La boîte à violon reste sur la banquette à côté des affaires du père. Le livre mince est posé sur la caisse. Une voix dit :

— C'est un violon, ça. Il est vraiment tout petit. C'est le gamin qui en joue... probablement.

— Mais pourquoi, dit une autre voix, un môme comme ça, si tôt dans un train de nuit archibondé, le pauvre ?

L'enfant revient déjà, poussé par son père. Ils reprennent leur place.

— Tu veux boire de l'eau, mon garçon ?

Le petit hoche la tête en signe de refus. Le père verse de l'eau de sa gourde dans un gobelet, la boit d'un coup et dit :

— Allez, maintenant on va faire ses exercices comme d'habitude. Tu dis bonjour à tes doigts.

Il faut qu'ils soient bien réveillés, complètement prêts, quand on arrive chez Mme Suzuki.

Le père ouvre la boîte et sort le violon. Il le passe délicatement à son enfant. Il prend aussi l'archet et, avant de le lui donner, visse son bouton pour que le crin soit bien tendu. Il saisit ensuite le livre mince de grand format, tandis que le fils accorde son instrument en glissant l'archet sur chacune des quatre cordes. Les voyageurs, éberlués, assistent à cette scène, presque en retenant leur souffle. Qu'est-ce qui se passe ? Qu'est-ce qu'ils vont faire ? Le petit garçon commence à faire ses gammes. Un son de violon d'une fragilité enfantine, parfois légèrement hésitant, se fait entendre, s'installe comme un foyer de lumière et de chaleur. Le bourdonnement des voix se retire, et tend à diminuer en intensité au profit de la présence de plus en plus envahissante du bruit de la locomotive. La vibration du petit instrument arrive à percer l'épaisseur du tohu-bohu incessant. Au bout d'environ un quart d'heure, le père ouvre le livre de grand format et le tient en l'air pour que l'enfant puisse regarder les pages déployées. On peut d'ailleurs parfaitement lire les gros caractères imprimés sur la couverture : Georg Friedrich Haendel. C'est la partition d'une sonate. Enfin, le père donne le signal de départ. Le gamin commence à jouer. La musique naît...

Ainsi, la sonate de Haendel, sur le petit violon de mon frère et de mon père, résonna dans le silence tout à la fois assourdissant et recueilli du train de nuit.

Un jour, bien des années plus tard, à l'époque où justement j'ai commencé à apprendre le français, j'ai mis la main par hasard sur une série de quatre ou cinq livres de cent à cent cinquante pages soigneusement recouverts, solidement protégés avec une couverture en papier marron brute, livres d'un format semblable à celui des partitions, intitulés *L'Art de jouer du violon*. Il s'agissait du célèbre manuel (traduit en japonais) de Carl Flesch qui était rangé parmi toutes les partitions de violon sur une étagère de la bibliothèque familiale. Je les ai feuilletés les uns après les autres. Les pages étaient abîmées jusqu'à l'usure à force d'avoir été tournées et retournées. Mais le plus étonnant, et donc le plus bouleversant, c'était de voir toutes ces pages interminables de la bible du violon soulignées en noir de-ci de-là, criblées de rouge et de bleu, abondamment annotées en marge, et d'imaginer, au-delà de ces signes déposés, l'extraordinaire travail accompli par mon père (qui n'était pas musicien — tant s'en faut) pour comprendre à la place de son fils tout l'art du violon expliqué par le grand maître hongrois. Bref, mon père était là dans toute sa splendeur, avec toute la puissance de son désir d'apprendre, de sa soif de connaissances, de sa volonté d'aller toujours plus loin et enfin de sa fougueuse et inépuisable passion pédagogique. Je me suis souvenu que c'était lui qui nous avait appris à nager, alors que lui-même ne savait pas. Le piano droit Kawai, le livre de Carl Flesch et le magnétophone Sony. Un très coûteux instrument de musique, quelques centaines de pages difficiles, redoutablement difficiles d'un manuel de violon, un quelconque mais rare produit industriel. Trois objets-témoins. Trois objets-souvenirs. Trois objets culturels de valeur monétaire fort inégale. Trois substituts de la présence et de l'attention paternelles. Ils portent en eux le *désir* et la *volonté* d'un homme qui s'acharnait à repousser toujours plus loin les limites de son champ d'action, qui faisait l'impossible pour sortir de ses origines, de sa condition première, pour s'arracher à ce qui lui était primitivement et naturellement imposé.

Mon père a conduit mon frère au royaume de la musique. Nul doute que dans l'imagination linguistique de mon frère, qui continue à pratiquer la musique même s'il n'est pas devenu musicien professionnel, le mot *ongaku* (musique) est indissociablement lié non pas aux Muses mais à l'image à la fois austère et attendrissante de son père. La langue japonaise ignore le genre. Le mot « musique/*ongaku* » n'est ni masculin ni féminin. Mais dans le souvenir si merveilleusement et si tristement présent de son père qui porte sur lui et sur son petit instrument un regard attentif et bienveillant, *ongaku* doit vibrer comme un nom masculin : *le* musique et non la musique.

Quant à moi, j'ai été conduit, aussi, pas à pas, vers le même royaume par les longues heures d'exercice de violon que j'ai entendues durant toute mon enfance. J'ai le sentiment d'avoir profité, en tierce personne, du face-à-face de mon père et de mon frère pour m'éveiller à la musique. Et c'est peut-être cette musique-là, que je ne pratique pourtant sur aucun instrument, qui m'a acheminé vers cette autre musique qu'est la langue française. Quand je parle cette langue étrangère qui est devenue mienne, je porte au plus profond de mes yeux l'image ineffaçable de mon père ; j'entends au plus profond de mes oreilles toutes les nuances de la voix de mon père.

Le français est ma langue *paternelle*.

8

Je n'ai pas fait de musique. Dans mon enfance, le piano fut un compagnon, mais forcé. Je ne m'y attachai pas. Bientôt, je voulus me débarrasser de cet importun pour adhérer aux jeux d'enfant. De guerre lasse, mes parents l'acceptèrent. Pourtant, la musique ne me quitta pas : le français en prit la place. C'était pour moi un instrument qui faisait chanter une musique particulière. Je n'ai pas fait de musique à proprement parler comme mon frère en a fait pendant de nombreuses années d'enfance et d'adolescence. Mais j'eus une musique à moi, à moi seul, c'était le français. Personne dans ma famille ne s'en aperçut. Car cette langue venue d'ailleurs était pour moi l'objet d'un travail laborieux, d'un exercice patient, d'une discipline ascétique de tous les jours comme l'a été le violon pour mon frère qui se l'est approprié, incorporé pour en libérer la musique.

C'est, je l'ai dit, l'insondable gravité des mots d'Arimasa Mori, en pleine période d'inflation linguistique où la légèreté des paroles ambiantes m'était insoutenable, qui m'a orienté, d'une manière décisive, vers le français, devenu la seule figure concevable de l'*ailleurs*. Ce qui avait préparé ma rencontre avec le texte de Mori, c'était la fuite du sens, le déficit de vérité qui frappait le japonais, seule langue dont je disposais alors, ou, si l'on préfère, toute la réalité du monde qui se tissait dans et par la langue japonaise, ma langue de naissance. L'apparition devant moi du français à travers ce médiateur exceptionnel qu'était Mori constitua l'occasion et la possibilité qui m'étaient subitement offertes de *recommencer* ma vie à peine commencée, de *refaire* mon existence entamée, de *retisser* les liens avec les visages et les paysages, de *remodeler* et *reconstruire* l'ensemble de mes rapports à l'autre, bref de remettre à neuf mon *être-au-monde*.

Toutefois, cet espoir, ce désir de rajeunissement, de renouvellement et de reconfiguration de mon insertion dans le monde, suscité par le sentiment d'une érosion de la langue qui se parlait en moi et hors de moi, avait été précédé d'un émerveillement, d'une expérience musicale fondatrice qui doit sans doute beaucoup à ma présence à toutes ces heures d'exercice de violon vécues par mon frère, à ma position d'auditeur inlassable quant à l'enregistrement des œuvres maîtresses du répertoire classique, et donc finalement à une formidable accumulation de pratiques d'écoute musicale, transformée en une sorte d'habitus personnel. Aporie de la langue, euphorie de la musique.

Je connus cet émerveillement, cet éblouissement inouï lorsque je découvris certains opéras de Mozart, en particulier *Les Noces de Figaro*. J'avais dix-sept ans. J'étais incapable de me dessiner un avenir professionnel clair, comme la plupart des jeunes de cette époque et, sans doute, de toutes les époques. Pour le reste, j'étais un lycéen quelque peu tourmenté : j'avais pour ainsi dire des *maux de langue*. Je n'avais pas encore eu la révélation du texte de Mori. La langue qu'on parlait, la langue qui circulait, la langue qui s'imposait, la langue qui me traversait, la langue, envahissante, qui résonnait et retentissait tout à la fois au-dedans et au-dehors de moi, la langue bavarde, infiniment bavarde, insupportablement et uniformément bavarde que je ne pouvais pas ne pas entendre, me faisait souffrir.

Dans une lettre datée du 6 février 1876 adressée à George Sand, sa *chère maître*, Flaubert écrit : « Après mon petit conte, j'en ferai un autre, — car je suis trop profondément ébranlé pour me mettre à une grande œuvre. J'avais d'abord pensé à publier *Saint Julien* dans un journal. Mais j'y ai renoncé. À quoi bon ? Toutes ces boutiques (je parle des journaux) me donnent un tel vomissement que j'aime mieux m'en écarter. » Si cette lettre de Flaubert m'était tombée sous les yeux à ce moment-là, je m'y serais reconnu ; j'aurais apprécié sa prise de distance ; j'aurais été très sensible au choix du mot *vomissement* ; j'aurais crié de joie et de solidarité.

C'est l'exact envers de ce fatras d'idées *flottantes*, de ce ramassis de platitudes ambiantes, que je découvris chez Mozart. Le sentiment d'un parfait *accord* entre la musique et les différents mouvements d'âme qu'elle exprime pour chaque personnage me sembla tenir du miracle. Le fait de ne pas comprendre l'italien ne me gênait pas. Au contraire, mon ignorance délibérée de la langue de Da Ponte favorisait mon écoute, aiguisait mon attention. Je me contentai de parcourir le synopsis de l'opéra ; et une fois connu le déroulement de l'intrigue dramatique, je me concentrai sur la musique et je fus transporté. La musique suppléait à la parole.

Combien de fois ai-je écouté les *Noces* avant mon départ pour Montpellier ? Je ne saurais le dire. J'ai écouté et réécouté ce miracle mozartien dans une admiration sans cesse grandissante à tel point que j'ai décidé, avant même de poser le pied sur le sol français, de me plonger dans l'Europe du XVIIIe siècle, en vue de la rédaction d'un mémoire de licence (c'est ainsi qu'on nomme au Japon le premier travail d'écriture substantiel soumis à un jury). Qu'est-ce qui a rendu possible, dans la seconde moitié du XVIIIe siècle, l'apparition d'une œuvre aussi génialement transcendante, la naissance d'un univers musical aussi vivifiant, aussi sereinement créateur de nouveaux liens sociaux? Telle était la question qui m'habitait.

9

Me croira-t-on si je dis que mon amour du français a été nourri par celui que je portais et porte toujours au musicien salzbourgeois ? Un compositeur autrichien du XVIIIe siècle peut-il favoriser l'investissement dans l'apprentissage du français ? Difficile à imaginer au premier abord. Pourtant, c'était vrai dans mon cas. Mais qu'est-ce qui me fascinait au juste chez lui, surtout tel qu'il apparaissait dans les *Noces* ?

Mozart n'est pas un *bourgeois*. Il n'est pas encore un bourgeois à part entière, devrais-je dire. Il n'est pas encore pris dans les rapports marchands qui forment le tissu quotidien de la société bourgeoise professionnelle. D'où son errance à la recherche d'une *place* d'artiste protégé à travers toute l'Europe. Mais simultanément, il n'est plus soumis aux puissances tutélaires traditionnelles. La singularité de sa position réside dans cet *entre-deux*, dans le fragile équilibre du *ne plus* et du *pas encore*. Je me rappelle les lignes essentielles d'Alfred Einstein :

« L'amateur de musique devient le citoyen de la salle de concerts. Mozart a encore pu assister à la naissance de cette évolution, sans y participer lui-même. Ses concertos pour piano ressortissent encore au genre le plus délicat du divertissement de société et ses trois ou quatre dernières symphonies, même, sont à mi-chemin entre la "chambre" et la salle de concerts. » Le caractère intermédiaire de son inscription dans l'Histoire semble le détacher à la fois des références au Ciel et des pesanteurs sociales de l'ici-bas moderne. C'est cette liberté qui transparaît dans sa musique et c'est elle qui la définit en profondeur. Pas de soumission servile à la Foi. Mais pas de braderie non plus, pas d'inflation du sentiment, pas de *publicité* mensongère, pas de mise en valeur traîtresse du personnage qui instaure un écart entre ce qu'il est et ce qu'il paraît. Une paix, une quiétude aérienne s'installe dans l'écoute mozartienne, parce que, précisément, l'oreille saisit d'emblée une chose essentielle : c'est qu'on peut prendre comme tel ce que le personnage mozartien dit par la musique, dans la musique et à travers la musique. Celui-ci n'est jamais en dessous, ni au-dessus de lui-même. Il tombe juste. Il y a une sorte de réconciliation heureuse de l'*être* et du *paraître*, de ce qu'il est et de ce que la musique fait apparaître de lui. Pas de divorce, pas de scission, pas de clivage malheureux entre l'extérieur et l'intérieur. L'extérieur *est* l'intérieur.

L'être, chez Mozart, se révèle tel qu'il est en lui-même.

L'*entre-deux* mozartien éclate dans la figure enchanteresse de Suzanne. Celle-ci, camériste de la comtesse Almaviva, est une jeune roturière, une domestique, une subalterne issue de la paysannerie et occupe ainsi la place la plus inférieure dans l'univers social du château féodal du comte Almaviva. Mais, à vrai dire, elle *n'*est *plus* une simple servante. Elle est autre chose qu'une subalterne, ce que la société veut qu'elle soit. Une scène du premier acte le montre admirablement.

Premier acte, scènes 6 et 7. Dans la chambre où Figaro et Suzanne passeront leur nuit nuptiale se trouvent Suzanne et le page Chérubin qui est venu trouver refuge auprès de la camériste. Le comte, surprenant celui-ci en train de courtiser Barberine, lui avait ordonné de quitter le château. Là-dessus arrive Almaviva qui désire posséder Suzanne, promise à Figaro, avant même la célébration de leur mariage. Chérubin, qui vient de recevoir du comte l'ordre de partir, ne peut pas se trouver avec lui nez à nez. Il se cache alors derrière le grand fauteuil placé au milieu de la chambre. Lorsque le comte demande à la servante de venir passer « un petit moment, dans le jardin, à la brune », Bazile, maître de musique, surgit. Ne voulant pas être pris en flagrant délit de démarche malhonnête dans la chambre même de la camériste, le comte se cache à son tour derrière le fauteuil, ce qui oblige Chérubin à passer sur le devant du fauteuil et à s'y dissimuler. Suzanne, discrètement, le recouvre d'une « robe de chambre ».

Scène célèbre, parmi d'autres, qui ne manque pas de provoquer des rires dans le public par ce jeu de cache-cache. Suzanne se trouve ici en présence de deux personnages, si on laisse de côté le petit page blotti dans le fauteuil et caché sous la robe de chambre : le comte Almaviva et Bazile. Je m'empresse de souligner que, curieusement, seule l'humble demoiselle de compagnie a en main toutes les données de la situation ; elle seule connaît et saisit la fonction *poétique*, c'est-à-dire non utilitaire du fauteuil (personne ne s'y assoit) autour duquel se cristallise toute la complexité du monde.

Suzanne est donc là, seule, face à ces deux personnages. Ce qu'il faut bien comprendre ici, c'est que chacun se trouve devant la jeune femme non pas en tant que simple individu mâle plus ou moins louche, mais surtout en tant que *figure* emblématique d'un pouvoir. Le comte Almaviva, en qualité de « grand d'Espagne », maître du château d'Aguas-Frescas, incarne le pouvoir politique. Quant à Bazile, il appartient au clergé malgré son côté « effronté » et même dévergondé. Il représente donc à lui seul le pouvoir ecclésial. Comment, dès lors, ne pas remarquer que ce sont ces deux pouvoirs qui font irruption, l'un après l'autre, dans la chambre, dans les profondeurs de l'espace intime du couple naissant, sans être appelés par la camériste ? Il s'agit, dira-t-on, d'une véritable *effraction*. Une effraction qui montre que Suzanne est piégée dans la complicité des deux pouvoirs qui se soutiennent. Je ne divague pas, la complicité est réelle ; c'est Mozart lui-même qui la souligne, en prêtant le *motif* de Bazile à Almaviva en train de raconter, tout en soulevant la robe de chambre dissimulatrice de Chérubin, comment il a découvert le page séducteur chez Barberine.

Ce qui frappe dans cette scène, compte tenu, précisément, de cette structure de pouvoir, c'est qu'on assiste à l'amorce d'un extraordinaire mouvement d'émancipation de la part de Suzanne. Au moment où le comte sort de sa cachette, indigné de ce que Bazile divulgue au sujet du page amoureux de la comtesse, la servante manque s'évanouir. « La douleur m'oppresse », dit-elle. À peine les deux hommes qui la soutiennent cherchent-ils à la faire asseoir dans le fauteuil, qu'elle revient à elle et s'écrie : « Quelle insolence, sortez ! » L'évanouissement est une *petite mort*. Quand elle reprend conscience, c'est donc une naissance ou une renaissance qui s'affirme. La phrase musicale qui accompagne « Quelle insolence, sortez » est dotée d'une énergie inégalée, révélatrice de la volonté d'autonomie et du désir d'émancipation qui habitent désormais Suzanne face aux puissances tutélaires. Une camériste, une servante, une simple paysanne, enfin une *subalterne* qui cherche à se libérer des forces écrasantes de domination traditionnelle, voilà une figure féminine qui m'est apparue comme totalement inédite dans toute sa fraîcheur de jeunesse, d'intelligence et de noblesse d'âme. Surtout, dans le champ géographique, historique et intellectuel qui était le mien, l'émergence d'une telle figure relevait, il faut bien le dire, de l'inconcevable. Suzanne, femme des Lumières — car il s'agit bien de cela, même si je n'étais pas encore en possession de ce mot un peu savant et de tout le vocabulaire qu'il entraîne.

C'est aujourd'hui, rétroactivement, que je perçois les choses ainsi. Je n'étais pas en mesure de rationaliser la séduction exercée, ni l'émotion suscitée par l'apparition de cette figure féminine. D'ailleurs, je ne m'en souciais pas. J'étais littéralement subjugué par Suzanne : elle brillait de toute sa beauté, de toute son intelligence, de toute son honnêteté de cœur et d'esprit. Elle semblait indiquer l'avenir, un avenir encore nullement taché de doutes et d'inquiétudes. Ce n'était donc pas un hasard si j'ai cru découvrir chez la camériste de la comtesse Almaviva une incroyable force de renouvellement dont j'avais besoin. J'étais tombé amoureux de la jeune servante du XVIIIe siècle. Oui, j'étais amoureux d'elle et je savais que je serais amoureux de toutes les femmes qui lui ressemblent.

10

Voyais-je donc en Suzanne la femme que je désirais et recherchais ? Oui, c'était cela vraisemblablement. En tout cas, je succombai sans défense à ses charmes ; toutes les femmes que je rencontrais étaient jugées alors à l'aune des qualités qui me semblaient constituer l'essence même de l'être Suzanne. Cette jeune servante était pour moi la réconciliation heureuse de la tendresse et de la force de l'esprit qui brave toute soumission à l'autorité injustifiée. Elle appartenait, si j'ose dire, à une espèce non identifiée. Les femmes tendres, mollement tendres et soumises, pullulaient dans le paysage environnant. Les fortes têtes, plutôt rares, se faisaient tapageusement remarquer. Je ne me familiarisais ni avec les unes qui étaient sans consistance ni avec les autres qui me paraissaient d'une arrogance éhontée. Et celles qui cumulaient les deux qualités, la tendresse et la connaissance en équilibre fragile, ne pointaient pas à l'horizon.

J'avais dix-neuf ans. J'étais entouré de filles de mon âge et je n'avais pas d'amie. Je n'en avais jamais eu. Je n'avais eu qu'une expérience d'admiration devant une camarade de classe qui, « grande et svelte », marchait « comme une chasseresse » (Baudelaire, « À une dame créole »). Du coup, comme tous les adolescents attardés qui ne cessent de se tourmenter devant la porte tout à la fois fascinante et effrayante de la sexualité, j'avais en moi, depuis des années, le désir d'un fauve que je n'arrivais pas bien à domestiquer. Parmi toutes les filles en fleurs que je côtoyais à la fac, il y en avait une qui se distinguait des autres. Elle faisait de l'allemand. Lycéenne, elle avait séjourné aux États-Unis ; elle en avait gardé une empreinte particulière. Et c'est ce côté *étrangère*, renforcé par l'américain qu'elle pratiquait avec aisance, qui m'attirait chez elle. Un jour de début d'automne, nous allâmes au cinéma ensemble dans le quartier animé de Shinjuku. Je la connaissais sans la connaître depuis bientôt trois ans. C'était, si je ne me trompe, quelques jours avant mon départ pour Montpellier. Je sortais véritablement pour la première fois avec une jeune fille, ayant ce sentiment intense que je m'engageais dans une relation qui ne ressemblait à aucune autre. Elle avait des cheveux longs qui lui descendaient jusqu'aux reins. D'une robe à pois assez courte au-dessus du genou sortaient les jambes fines en collants brillants et presque transparents. Aller au cinéma seul avec elle, c'était sans doute pour moi une façon tout intime de lui dire au revoir et peut-être, inconsciemment, de lui demander de ne pas m'oublier, de m'attendre... Mais était-ce vraiment ça que je voulais ? C'était ça ? Oui ? Non, tout de même... Allais-je décider aussi radicalement de mon avenir — qui durerait encore longtemps ? Une chose était certaine : je me lançais, avec le départ pour Montpellier, dans une folle expérience de déracinement qui m'arracherait à mon lourd quotidien, m'emporterait loin de mon imperturbable style d'insertion dans le monde. Pourquoi alors ne pas oser m'éloigner de la banalité du présent ?

Nous vîmes ce soir-là *Macbeth* de Roman Polanski. À la fin du film, lorsque la tête ensanglantée de Macbeth roule par terre, elle poussa un léger cri de peur et se saisit de mon bras. Sortis du cinéma, nous nous mîmes à marcher vers la gare. Le bras de mon amie restait enroulé autour du mien. Je ne daignais cependant rien lui dire. Pas un jeu de séduction ne venait orner ce trajet nocturne ; aucune parole exaltée ne célébrait notre marche commune. Dans la nuit éclairée par la pâle lumière des réverbères, il y eut un silence prolongé, troué de doutes, d'embarras, voire de craintes. Mes pas s'alourdissaient. Mes mains, gauches, ne savaient plus où aller. De ma bouche ne sortit finalement qu'un *à bientôt* lamentable. Je ne la raccompagnai pas chez elle. C'était pitoyable à pleurer, mais soulageant en même temps...

Quelques mois plus tard, à Montpellier, je reçus d'elle une lettre dont j'ai totalement oublié le contenu et une photo d'elle au dos de laquelle il était écrit : « *I hope you like it.* » Dans cette phrase toute simple en anglais, je la sentis infiniment loin de moi. Je ne lui répondis pas. Je commençais à m'immerger dans les eaux profondes de la langue française. J'avançais pas à pas dans la pénombre de la prodigieuse forêt française. J'étais dans la patiente impatience d'une rencontre. Ô Suzanne, où es-tu ?

11

Suzanne *n*'est *plus* une simple servante. Mais elle n'est pas pour autant une bourgeoise, une femme du XIXe siècle. Il me paraît tout aussi évident qu'elle *n*'est *pas encore* une femme de l'ère du capital, une femme mariée ou mal mariée selon le Code Napoléon, qui va connaître un sombre avenir dans la littérature romanesque à venir. Elle *n*'est *pas encore* soumise, comme le sera Emma Bovary par exemple, à la domination de l'argent.

Suzanne est un miracle de réussite littéraire et musicale. Elle se trouve à égale distance de l'existence traditionnelle d'un enfermement féodal et de la vie moderne se déroulant dans les rapports sociaux propres à l'économie marchande. Cet *entre-deux* en équilibre délicat et précaire la revêt d'une authenticité loin de toute expression mensongère que ne saurait éviter l'être *moderne* tragiquement déchiré et aliéné. Lorsque j'ai pris connaissance, beaucoup plus tard, d'un petit texte d'Adorno inti-

tulé « Hommage à Zerline », j'ai eu le sentiment de me retrouver en lui et de rejoindre
ma très chère Suzanne dans cette métaphore de
l'*Histoire en état d'immobilité heureuse* dont parle
le philosophe allemand à propos de Zerline de
Don Giovanni :

*En Zerline demeurent le rythme du rococo et celui de
la Révolution. Elle n'est plus une bergère; mais elle
n'est pas encore une citoyenne non plus. Située à un
moment historique placé dans l'entre-deux de ces deux
figures, elle témoigne d'une humanité fragile qui n'est
plus meurtrie par la tyrannie de la société féodale,
mais qui est encore protégée en même temps contre la
barbarie de la société bourgeoise. Et, précisément, c'est
cette humanité-là qui, l'espace d'un éclair, brille de
tout son éclat. [...] Zerline anticipe, si l'on veut, sur
un état utopique qui dépasse la différence entre la ville
et la campagne. Elle est la métaphore de l'Histoire en
état d'immobilité heureuse et, à ce titre, elle est dotée
d'une vie éternelle.*

La calme et florissante beauté de Suzanne
était ainsi devenue pour moi un appel à une
exploration du XVIIIe siècle, à une pénétration
attentive, persévérante dans l'univers mozartien,
et enfin, et surtout, à une immersion profonde
dans la langue française qui était, apprenais-je
alors dans un manuel d'histoire, *la* langue de
communication intellectuelle par excellence dans
l'Europe des Lumières. J'étais heureux d'ap-

prendre cette langue, j'étais heureux de marquer des avancées dans l'ascension de ces altitudes verbales, j'étais heureux de me plonger, de m'absorber, de me fondre dans la masse des eaux de cette langue qui ne cessait de me faire signe et, en fin de compte, de me nourrir.

12

Au commencement était donc Arimasa Mori qui m'avait appris la gravité et la profondeur de l'*expérience* d'appropriation du français. « Apprendre le français, me dis-je, c'est un projet de vie, le projet de toute une vie. » Je compris que toute ma vie à venir était appelée à s'y engager. Par ailleurs, Wolfgang, à travers la présence lumineuse de Suzanne, était également là pour me pousser vers une incursion lointaine et prolongée dans le territoire de la langue française. Mais ces deux sources d'énergie, ou plutôt trois si j'accorde une importance toute particulière à la place occupée par Suzanne dans la production mozartienne, auraient-elles été suffisantes pour que ma vie d'adulte entière se déroulât dans l'immense sphère de la langue française ? Je n'en suis pas sûr. Car, finalement, un troisième (ou quatrième) nom entra dans ma vie dès la première année de mes études universitaires pour ne plus me quitter : Jean-Jacques Rousseau.

Lycéen, je ne savais rien de lui ; l'image que j'avais de Jean-Jacques n'allait guère au-delà de quelques poncifs directement issus de manuels scolaires. Mais lorsque, vers l'âge de dix-sept ou dix-huit ans, sous l'influence décisive d'Arimasa Mori et dans le contexte de la révélation mozartienne, ma décision fut prise d'essayer d'entrer dans l'univers du français, je ressentais vaguement la nécessité de commencer par Rousseau qui m'était apparu comme *le* penseur par excellence de la modernité. Je n'étais pas insensible à la présence diffuse de tout un discours social de gauche sur l'auteur du *Contrat social.* Rousseau, le père de la démocratie moderne ; Rousseau, le précurseur de la Révolution française ; Rousseau, le premier écrivain moderne, etc. Puis, il faut dire qu'« être moderne » avait une valeur absolue pour moi, moi qui savais que mon père avait souffert d'un régime militaire d'un totalitarisme barbare et sanguinaire, subissant jusqu'à la torture physique et mentale. Je voyais derrière le portrait du citoyen de Genève l'ombre à la fois frémissante et discrète de mon père. Puis, de toute façon, vu la place incommensurablement importante occupée par le Mozart des *Noces de Figaro,* le choix du XVIIIe siècle n'était pas négociable. Mozart et Rousseau ont été les deux héros de ma jeunesse et, près de quarante ans plus tard, ils le demeurent.

Je lus d'abord le *Discours sur les sciences et les arts.* Les grandes œuvres de Rousseau étaient disponibles en japonais. Mais je ne pense pas avoir lu le *Premier Discours* en japonais. J'eus l'audace de plonger directement dans le texte de Rousseau. Je me battis avec les amples ornements du style oratoire et la complexité des structures grammaticales ; parfois, le sommeil me gagnait quand j'étais en peine, mais je résistais. Je mis ainsi longtemps pour parvenir jusqu'à la fin : je n'avais pas succombé à la tentation de lire mon auteur dans la traduction. Je dévorai ensuite le *Discours sur l'origine et les fondements de l'inégalité* qui faisait partie de la bibliographie d'un bon cours que j'avais suivi sur l'histoire des idées politiques et sociales. J'essayai aussi de percer l'épaisseur des six cents pages de l'*Émile*, mais je n'atteignis pas la fin avant mon départ pour Montpellier. Je tentai par ailleurs de pénétrer dans les écrits intimes de Rousseau par la porte des quatre *Lettres à Malesherbes*. Je lisais, je lisais, je lisais. Je lisais avec acharnement, mais la langue de Rousseau était comme un gigantesque bloc de roches qui se dressait devant moi pour me barrer le chemin et que je n'arrivais pas à briser à coups de dictionnaires. Ou alors elle était comme une femme inaccessible ; je la désirais, elle me repoussait, elle fuyait, elle se dérobait sans cesse, alors que je cherchais désespérément à la retenir. Quelquefois, je ne la voyais même pas. Elle était comme enfoncée dans une brume épaisse. Se couvrait-elle d'un voile opaque qui m'empêchait de la voir dans la clarté du jour ? Ou un écran mystérieux était-il descendu pour s'interposer entre elle et moi, un écran noir qui m'obscurcissait la vue ?

Cependant, malgré les difficultés, la lecture des textes que je viens de citer laissa chez moi des traces indélébiles. Je fus ébloui d'emblée par certaines pages du *Discours sur les sciences et les arts*, où je retrouvais la thématique qui m'était devenue chère à travers mon expérience mozartienne. Ou serait-il plus juste de dire que Rousseau nommait ce qui restait innommé et innommable dans ma perception de la musique mozartienne ? J'avais, en tout cas, le sentiment que Rousseau parvenait à donner les mots adéquats, une expression verbale appropriée à mon écoute du musicien génial, à toute l'émotion que suscitait en moi la dynamique musicale des *Noces de Figaro*. Ce fut comme un miracle.

J'ai sous les yeux quelques vieux classeurs qui contiennent plusieurs centaines de fiches de citations que je me confectionnais à cette époque-là au gré de mes lectures quotidiennes, lentes et laborieuses. En lisant Rousseau, je relevais des phrases, des paragraphes, des passages, parfois même des pages entières qui avaient retenu mon attention d'une façon ou d'une autre, pour *me* les transcrire ; c'était une façon de me les approprier, de les mettre en réserve, avec l'espoir de les introduire plus tard dans un mémoire que je devais remettre à mon directeur d'études. Voici une de ces citations sur une page jaunie, écrite avec mon stylo Parker à l'encre bleu ciel :

Qu'il serait doux de vivre parmi nous, si la contenance extérieure était toujours l'image des dispositions du cœur ; si la décence était la vertu ; si nos maximes nous servaient de règles ; si la véritable philosophie était inséparable du titre de philosophe ! Mais tant de qualités vont trop rarement ensemble, et la vertu ne marche guère en si grande pompe. La richesse de la parure peut annoncer un homme de goût ; l'homme sain et robuste se reconnaît à d'autres marques : c'est sous l'habit rustique d'un laboureur, et non sous la dorure d'un courtisan, qu'on trouvera la force et la vigueur du corps. La parure n'est pas moins étrangère à la vertu qui est la force et la vigueur de l'âme. L'homme de bien est un athlète qui se plaît à combattre nu : il méprise tous ces vils ornements qui gêneraient l'usage de ses forces, et dont la plupart n'ont été inventés que pour cacher quelque difformité.

Avant que l'art eût façonné nos manières et appris à nos passions à parler un langage apprêté, nos mœurs étaient rustiques, mais naturelles ; et la différence des procédés annonçait au premier coup d'œil celle des caractères. La nature humaine, au fond, n'était pas meilleure ; mais les hommes trouvaient leur sécurité dans la facilité de se pénétrer réciproquement, et cet avantage, dont nous ne sentons plus le prix, leur épargnait bien des vices. [...]

Pourquoi recopiai-je ce passage à côté de la fameuse *Prosopopée de Fabricius* soigneusement et amoureusement transcrite ? J'y découvrais sans nul doute une expression exemplaire de l'origine des maux de langue dont je souffrais (ou croyais souffrir) autant qu'une représentation exaltée d'une socialité soustraite à ces maux de langue. En marge de cette citation, je peux lire quelques brèves annotations en japonais qui vont dans ce sens-là.

Le jeune Rousseau, encore peu connu dans l'Europe des Lumières sinon comme compositeur d'un opéra aujourd'hui tombé dans l'oubli, *Muses galantes*, remporta en 1750 le prix de l'Académie de Dijon en répondant, avec ce *Premier Discours*, à la question posée par celle-ci : « Le rétablissement des sciences et des arts a-t-il contribué à épurer les mœurs ? » Rousseau, avec une véhémence qui annonce l'accent des orateurs révolutionnaires, mettait en accusation un certain type de rapports sociaux qui allaient constituer, un demi-siècle plus tard, les traits essentiels et dominants de toute la société moderne. Le texte semble obéir à une intention structurante de type binaire. Rien n'est plus aisé en effet, même aux yeux d'un novice qui se sent perdu dans la somptueuse luxuriance de la langue de Rousseau (c'était mon cas), que de s'apercevoir des articulations fondamentales du texte s'appuyant sur un jeu d'oppositions : extérieur / intérieur (cœur) ; parure / nu ; courtisan

/ laboureur ; dorure / habit rustique ; langage apprêté / celui des mœurs rustiques et naturelles, etc. Et il est assez saisissant de voir toute cette série d'oppositions finir par converger vers le centre thématique nodal : le divorce de l'*être* et du *paraître*. Autrefois, les hommes jouissaient de la « facilité de se pénétrer réciproquement », en annulant la frontière qui sépare ces deux instances. Mais aujourd'hui « on n'ose plus paraître ce qu'on est ». La politesse, la décence, les convenances sociales, c'est-à-dire toutes les valeurs qui relèvent du commerce social, sont discréditées en raison même de l'occultation de l'individualité authentique de l'être humain. La santé qui est « la force et la vigueur du corps » se trouve sous « l'habit rustique d'un laboureur », de même que la vertu, « la force et la vigueur de l'âme », se loge non pas sous la « parure », mais dans la saine nudité de la peau découverte. Mais le culte du *paraître* a fait de tels progrès qu'il a installé un vaste *voile* sous lequel se cache tout un « cortège de vices ». C'est ce *voile* que Rousseau nomme *politesse* et qui se présente sous la forme d'« une vile et trompeuse uniformité ».

Je fus consterné et saisi par l'adéquation des mots que je lisais sous la plume d'un auteur du XVIII⁰ siècle avec ce « sentiment d'étouffement qui ne me lâchait pas », avec cette impression angoissante d'être « traqué dans une sorte d'inflation linguistique généralisée ». Je crus pouvoir puiser dans les pages du *Premier Discours* une force libératrice, une énergie cathartique, comme j'entendis dans les notes miraculeuses des *Noces de Figaro* l'euphorie des êtres qui *ne* vivent *pas encore* sous le despotisme des forces sociales aliénantes et qui sont donc libres de toute mélancolie ravageuse. Dans les mots de Jean-Jacques, j'entendais la musique de Wolfgang ; dans la musique de Wolfgang qui porte les paroles énoncées par les personnages des *Noces*, je lisais les mots de Jean-Jacques... Wolfgang et Jean-Jacques s'étaient définitivement installés chez moi. Ils ne se quitteraient plus, ils ne me quitteraient plus. C'était là une certitude.

13

Quand je fus en troisième année d'université, mon père m'exhorta à me présenter à un concours pour obtenir une bourse d'études en France. C'était un concours organisé par un quotidien japonais et exclusivement réservé aux étudiants en licence. La moitié des huit admis devait être recommandée au gouvernement français et, à ce titre, ils devaient être honorés du prestigieux statut de boursier du gouvernement français. Il fallait en effet que je parte. Il fallait que je m'arrache à mon étroite territorialité ; il fallait que je me libère de mes maux de langue ; il fallait que j'entre dans le monde porté par le français pour mettre en usage tout ce qui s'était accumulé de français en moi, mais aussi pour me mettre dans un état de connivence avec faits et gestes de la vie vécue et construite en français, bref pour me glisser, me baigner, me couler, m'immerger le plus profondément possible dans toute la liturgie quotidienne de la vie, dans tout le volume et toute l'étendue de la langue de Rousseau qui était devenue une passion, un amour.

Il y eut plusieurs épreuves en plusieurs étapes. À l'issue de la dernière épreuve qui consistait en un entretien en français avec deux examinateurs, l'un japonais, l'autre français, je fus content d'une certaine éloquence dont j'avais fait preuve. Je m'étais préparé mentalement à produire un discours structuré, mais mon principal souci avait été de reproduire dans mon élocution les mouvements mélodiques ascendants et descendants que j'avais perçus de façon si aiguë dans l'énonciation française au cours de mes fréquentations radiophoniques ; je me souciais aussi de restituer les structures rythmiques que j'avais captées à l'écoute de tous les documents sonores qui étaient pour moi comme des trésors inépuisables. Je ne m'inquiétais pas trop du résultat ; au contraire, j'étais plutôt confiant, accueillant calmement toutes les incertitudes du monde. Et, finalement, j'eus le bonheur de me trouver parmi les chanceux. Qui plus est, je fus classé dans le groupe des étudiants bénéficiaires d'une bourse française. À ce titre, j'obtins une bourse de deux ans. Le sentiment d'avoir percé le mur du destin me gagna. C'était le vrai commencement d'une vie entièrement placée sous les auspices de cette *langue venue d'ailleurs* qu'était le français.

Je partis donc en France en qualité de boursier du gouvernement français. C'était en 1973. J'avais au fond de ma valise les quatre premiers tomes des *Œuvres complètes* de Rousseau en Pléiade (le cinquième n'était pas encore publié) ; j'avais aussi des cassettes audio contenant l'enregistrement intégral des *Noces de Figaro* sous la direction de Karl Böhm (1968) et une photographie en couleurs de la merveilleuse Edith Mathis qui chante le rôle de Suzanne dans cet enregistrement.

II

MONTPELLIER

1

Dans mon dossier de candidature adressé au service des étudiants boursiers du ministère français des Affaires étrangères, je pouvais émettre mes vœux quant au choix d'une ville universitaire. Je choisis Montpellier, parce que je savais qu'un éminent spécialiste du XVIIIe siècle, Jacques Proust, y enseignait. Mais, n'étant pas encore titulaire d'une licence au Japon, je n'avais pas accès, officiellement, à l'enseignement de ce maître incontesté ; j'espérais néanmoins pouvoir me faufiler dans certains de ses cours en qualité d'auditeur libre. J'ajoutai, à titre d'information personnelle, que j'envisageais sérieusement de me destiner au professorat, à l'enseignement du français. Quelques mois plus tard, j'appris mon affectation à Montpellier, au Centre de formation pédagogique, un établissement créé au sein de l'université Paul-Valéry pour la formation et le recyclage des enseignants de français langue étrangère. Manifestement, on avait privilégié la piste de mon éventuel avenir d'enseignant; par bonheur, cela revenait aussi à exaucer mon souhait de me placer sous la bienveillante protection de Jacques Proust. J'étais donc heureux d'aller dans cette ville de la côte méditerranéenne qui, pourtant, me paraissait située dans une contrée infiniment lointaine. Explorer le monde des Lumières avec un de ses meilleurs guides et me préparer en même temps à mon éventuel futur métier ! Je ne pouvais pas imaginer une structure d'accueil mieux adaptée à mon attente, d'autant plus que le gouvernement français proposait de m'accorder une bourse dont le montant était majoré de 50 % par le fait même de mon choix d'accepter une formation pédagogique en français langue étrangère. J'allais toucher une mensualité de 750 francs qui était la somme attribuée seulement aux titulaires d'une maîtrise. Je n'avais jamais quitté ma famille, je n'étais jamais allé à l'étranger, je n'avais jamais voyagé en avion, je ne m'étais même jamais éloigné durablement de Tokyo. Aller à Montpellier, cela représentait pour moi un véritable *exil*, mais un exil voulu, nécessaire.

Mes parents se réjouirent de mon succès. Quelques jours avant mon départ, j'allai avec mon père à la Banque de Tokyo dans le quartier administratif et financier d'Otemachi. Il acheta 2000 francs de chèques de voyage contre la somme, à mes yeux considérable, d'à peu près 150000 yens. Il me dit en me tendant les chèques : « Au cas où ta bourse ne suffirait pas... » Il ne prononçait pas la moindre parole révélatrice d'inquiétude ; mais sur son visage je voyais se dessiner une légère crispation et dans sa voix s'entendait une imperceptible fragilité. Il se faisait violence pour se persuader de la nécessité de lâcher son fils dans un océan d'incertitudes dont il ne pouvait mesurer l'étendue avec exactitude.

La veille de mon départ, je fis une fulgurante poussée de fièvre. Tout était prêt : ma valise toute neuve, mon passeport nouvellement procuré, mon carnet de vaccination, mon billet d'avion offert par le ministère français des Affaires étrangères, mon lecteur de cassettes audio qui faisait en même temps radio, mon petit appareil photo Olympus, etc. Je dus passer toute la journée au lit. Je ne pouvais rien faire d'autre que de rester allongé. J'avalai des cachets d'aspirine à forte dose et je m'endormis. Réveillé, j'eus l'insolite idée d'écouter les *Noces de Figaro*. Je les écoutai une première fois dans la version de Karl Böhm que j'allais emporter avec moi en France et une seconde fois dans la version de Herbert von Karajan enregistrée en direct au festival de Salzbourg en 1972, diffusée sur la NHK quelques mois auparavant et conservée pour mon écoute personnelle sur le magnétophone Sony. Dans cette dernière version alors non commercialisée, je fus transporté par l'interprétation musicale d'une merveilleuse et incroyable vitalité portée par une mise en scène de Jean-Pierre Ponnelle que je ne faisais qu'imaginer au-delà du magnétophone à côté duquel se trouvait mon futon. Lorsque le chant final du quatrième acte qui célèbre dans le jardin nocturne la naissance d'une communauté nouvelle eut résonné dans toute son ampleur de réjouissance collective, ma fièvre était tombée ! J'avais l'impression d'être poussé en avant par la force inégalable d'un miracle d'humanité.

Je partis ainsi pour la France en octobre 1973 sur un vol d'Air France. Je me sentais encore légèrement fiévreux, mais la tension de mon envol vers un horizon inconnu l'emportait sur cet affaiblissement momentané du corps. Dans l'avion, je n'étais plus tout à fait au Japon. J'ouvrais grands les yeux et les oreilles. La présence des hôtesses françaises contribuait à renforcer ce sentiment d'être déjà dans un monde étranger. Je fus surtout ébloui par la beauté de celle qui s'occupait de notre rangée. C'était une femme grande et svelte d'une trentaine d'années avec des cheveux blonds noués, portés en chignon, la tête couverte d'un petit chapeau bleu marine. L'usage du français, cette possibilité qui m'était offerte de sortir de mon pays, de ma langue et de moi-même pour la première fois de mon existence, me rendait entreprenant et audacieux ; chaque fois qu'elle passait devant moi pour me servir, je saisissais cette occasion pour aller au-delà d'un échange de mots limité au strict minimum utilitaire. Dans l'infernal et continuel bruit des moteurs, je percevais des sons familiers qui faisaient sens, et j'étais heureux. À Anchorage où l'on fit escale, je lui dis avant de quitter l'appareil et de me diriger vers les salles d'attente de l'aéroport :

— À tout à l'heure.

Elle me répondit :

— Ne me *cherchez* pas. Il y a un changement d'équipe. Je descends ici.

Une légère insistance était placée sur le verbe « chercher ».

— Ah bon ? Je ne vous retrouverai pas ?

— Eh non…

— C'est dommage !

— Au revoir ! Et bon séjour en France ! me dit-elle avec un bel épanouissement de sourire.

En la laissant derrière moi, j'eus un petit pincement au cœur. C'était pour moi l'une des toutes premières *douleurs* ressenties en français, même si elle ne dura que quelques minutes. Mais j'en gardai longtemps la trace… Des années après, lorsque j'ai redécouvert en français le poème de Baudelaire « À une passante », je n'ai pu m'empêcher de penser à cette rencontre éphémère et sans retour à bord d'un Boeing 747 : *Un éclair… puis la nuit ! — Fugitive beauté. / Dont le regard m'a fait soudainement renaître, / Ne te verrai-je plus que dans l'éternité ?*

Je ne me rappelle rien de la seconde partie de mon voyage, Anchorage-Paris. Arrivé à Paris le matin assez tôt dans une fraîcheur automnale brumeuse, je fus conduit en car au CNOUS de Paris, place Jean-Calvin dans le 5e arrondissement tout près de l'École normale supérieure de la rue d'Ulm que j'allais retrouver quelques années plus tard. Au service des étudiants étrangers du CNOUS, on me donna une carte provisoire et un ticket-repas qui me permettaient de prendre le déjeuner sur place, au restaurant universitaire. On me donna également un billet de train pour que je puisse me rendre à Montpellier dans la foulée. C'était un train de nuit que je devais prendre vers vingt-deux heures, à la gare de Lyon. J'avais donc une journée entière devant moi. Avant de me restaurer, j'allai aux toilettes. Je fus surpris de la hauteur des urinoirs. En sortant, je croisai un garçon avec des cheveux longs qui me demanda de but en blanc :

— Vous avez l'heure ?

Je n'étais pas habitué à cette formulation. Dans les cours de français, on ne m'avait appris « pour demander l'heure » que : « Quelle heure est-il ? » Mais je compris immédiatement de quoi il s'agissait : il fallait que le garçon s'assurât d'abord que j'étais effectivement en mesure de lui indiquer l'heure. D'où son énoncé. Je lui répondis après une seconde, à peine perceptible, d'hésitation :

— Oui, il est midi et quart.

Mais ce qui m'a marqué dans ce bref échange, ce n'était pas la forme de la question posée, c'était le fait même qu'il m'avait demandé l'heure, à moi, qui venais tout juste d'arriver à Paris, lui qui, manifestement, était un étudiant parisien chevronné ! « Ne suis-je pas un étranger dans ce pays ? me demandai-je. Ne suis-je pas *extérieur* aux limites territoriales de ce pays ? Pourquoi alors me choisit-il parmi mille autres individus ? À moins qu'il ne voie pas en moi l'étranger, mon *étrangeté* ou *étrangéité*. » Celle de mon physique, en tout cas, n'était pas créatrice d'une étrangeté réelle, séparatrice. Il n'avait pas l'air d'y prêter une attention quelconque. Ce sentiment de n'être l'objet ni d'une indifférence totale ni d'une attention excessive, celui de ne pas être séparé de ses hôtes par ces deux attitudes qui se rejoignent finalement dans le refus (inconscient) de l'étranger, ce sentiment enfin de se trouver à côté de ceux qui vous accueillent et non pas en face d'eux séparé par un abîme de différences, ce sentiment-là, je mis longtemps à le rationaliser et m'en donner une explication convaincante.

Je pris le train pour Montpellier. Je n'arrivais pas à m'endormir ; quelque chose en moi luttait pour ne pas sombrer dans le sommeil. J'arrivai dans la capitale languedocienne vers sept heures du matin, après huit ou neuf heures de sommeil morcelé et de rêve éveillé. Le ciel était dégagé ; je sentais la douce chaleur d'une lumière irradiante. Je m'installai dans un café place de la Comédie pour attendre l'ouverture du bureau des étudiants étrangers. Je goûtai mes premiers croissants.

L'inscription finie, je me rendis à la résidence universitaire *La Colombière*. On me donna la chambre 314 au rez-de-chaussée. Je déposai mes affaires. Je m'allongeai sur le lit. Je ne savais pas encore qu'il me fallait entrer dans cette espèce de sac fait entre le drap de dessous et le drap de dessus. Je dormis d'un trait plusieurs heures.

Le lendemain matin, je m'empressai d'aller à l'université pour une inscription pédagogique. On me donna rendez-vous pour le jour suivant ; je devais d'abord passer le test d'évaluation imposé à tous les étudiants stagiaires nouvellement arrivés.

Il était presque onze heures. Il fallait que je me restaure. Délesté tant soit peu des pesanteurs du départ, je respirais enfin. J'avais faim. Je n'avais rien mangé depuis la veille excepté mes deux croissants du petit déjeuner. Je me dirigeai lentement vers la résidence universitaire. En arrivant sur une grande place entourée de hauts immeubles, je m'arrêtai et adressai la parole à une jeune fille qui me paraissait être une étudiante.

— Pardon, mademoiselle, pourriez-vous m'indiquer le restaurant universitaire le plus proche ?

Je viens d'arriver à Montpellier, je suis un peu perdu.

J'étais heureux de lui *offrir* cette phrase bien construite.

— C'est là, juste en face, me répondit-elle en souriant. C'est le restaurant du *Triolet*. Mais ça n'ouvre qu'à onze heures trente...

— Merci beaucoup, *monsieur*.

Dès que j'eus achevé de prononcer le mot « monsieur », je devins tout rouge. Mon visage était enveloppé d'une épaisse couche de chaleur.

— Oh ! Excusez-moi... Ce n'est pas ce que je voulais dire...

— C'est pas grave... Au revoir, et bon appétit !

Vautré seul au fond d'un abîme d'indignité et de honte, je voulais lui dire pourquoi ce malheureux mot de « monsieur » était sorti de ma bouche hors de tout contrôle... Mais ce n'était pas possible... Elle était déjà loin, à dix mètres devant moi, vingt mètres, trente, quarante, cinquante... Elle s'éloignait pour disparaître enfin dans une allée entre deux maisons. Ma balourdise était le résultat lamentable d'un de ces automatismes artificiellement créés au cours de mon apprentissage. J'avais le sentiment d'être devenu un piètre personnage de roman sans épaisseur ni consistance, à force d'avoir mécaniquement répété des mots et des phrases comme s'il s'agissait de fragments de sens isolables et détachables de contextes infiniment variables.

En repensant à cette scène et surtout au sourire dont la jeune fille me fit cadeau en me quittant, je suis aujourd'hui encore rempli de honte, de regret, et de colère sourde contre moi-même. Qu'est-ce qu'elle a pensé de moi ? Quelle image de moi ai-je gravée en elle par ce seul mot malheureux ? Où allait-elle ? Qu'est-elle devenue ? Autant de questions sans réponse que je me suis posées depuis lors.

Je n'ai jamais revu cette jeune fille — la première jeune Française à qui j'ai adressé la parole — durant mon séjour montpelliérain de deux ans et quelques mois.

Le temps de l'échange fut encore plus bref qu'avec l'hôtesse de l'air.

Une petite douleur liée au sentiment d'une perte irrémédiable et une grande honte génératrice d'une haine de soi — mon début sur le sol français, le moment de mon installation dans l'espace de la langue française, fut marqué à jamais par ces deux *entailles* dans la chair de mon cœur.

2

Ma vie en français est parsemée de ce genre
de bévues qui restent au fond de moi comme
des blessures inguérissables. En voici une autre.
C'était peut-être trois ou quatre mois après mon
installation à Montpellier : je m'étais fait des
amis que je voyais régulièrement surtout autour
des restaurants universitaires à midi et le soir.
Il y avait parmi eux S., une étudiante angliciste
qui me plaisait. Elle n'était pas particulièrement
belle, mais elle était prévenante à l'égard des
étudiants étrangers, car, disait-elle, elle avait
souffert de la froideur des Anglais lors de son
séjour d'études à Londres. Elle était bien
maquillée et bien habillée en général, le plus
souvent en robe, ce qui la singularisait un peu à
mes yeux. C'était déjà l'époque des jeans. Mais
il n'était pas question de lui faire la cour, car
elle avait un *petit ami* malgache (je sais que ça
date un peu, cette façon de parler...). On ne les
voyait pas toujours ensemble ; elle se disputait
souvent avec lui, mais c'était quand même son

ami. Un jour, j'avais décidé d'aller au cinéma en ville avec deux ou trois camarades. S. se joignit à nous, seule. S'était-elle disputée encore ? Sans doute.

— J'en ai marre, dit-elle. Emmène-moi, Akira. Je peux aller au cinéma avec toi, enfin, avec vous ?

— Bien sûr. Mais tu veux vraiment venir ? Tu es sûre ?

On s'était donné rendez-vous pour la séance de vingt heures, dans un cinéma près de la place de la Comédie. C'est tout ce qui me revient aujourd'hui. J'ai oublié le nom du cinéma, le titre du film, l'histoire qu'il racontait ; je ne me souviens de rien. Qui étaient ces deux ou trois camarades ? Qu'avons-nous fait avant et après le film ? Rien. Rien ne s'est conservé. Strictement rien, sauf un sentiment intolérable de gêne et d'échec lié à cette sortie nocturne. Je me vois dans un hall de cinéma, ou une assez grande salle, en tout cas, avec des fauteuils. Je suis assis dans un de ces fauteuils, me demandant si S. va vraiment venir... Elle s'est déjà réconciliée peut-être, telle que je la connais... Mon regard est dirigé vers les portes d'entrée vitrées. Enfin S. arrive en courant...

— Excuse-moi, je suis en retard.

— Non, non, ça va. On a encore le temps. Allez, assieds-toi et repose-toi. Reprends ton souffle.

— ...

— C'est rare que tu sois en pantalon ! Il est d'ailleurs très joli. Surtout la couleur, magnifique !

Oui, elle portait ce soir-là un pantalon bleu marine, très chic, qui tombait impeccablement. J'étais frappé par cette tenue parce que j'avais toujours vu S. en robe, comme je l'ai dit. J'avais appris une chose en France : on pouvait se permettre de lancer des compliments à son interlocuteur/interlocutrice au sujet de sa tenue vestimentaire. J'avais été témoin de scènes où, par exemple, une jeune fille disait à un garçon : « Qu'est-ce que tu es beau, avec cette veste en velours toute neuve ! », et, inversement, un garçon disait à une jeune fille : « Elle est très belle, ta robe ! » J'étais devenu hardi. Je l'avais déjà remarqué, on devient hardi plus facilement dans une langue qu'on ne maîtrise pas entièrement. C'est le plaisir d'un enfant qui se socialise dans la fraîcheur d'une langue à conquérir et dans la vie qui prend forme graduellement à travers cette langue. En passant d'une langue à une autre, certains interdits tombent : un espace de liberté s'ouvre subitement.

— J'aime cette couleur, le bleu marine. C'est une des couleurs les plus nobles dans mon pays. Tu sais comment on dit en japonais ?

Silence interrogatif.

— On dit : « *kon* »...

C'était trop tard, le malheureux mot de *kon* m'avait échappé. Je savais, après trois mois de vie à Montpellier, ce que voulait dire, au sens premier aussi bien qu'au sens figuré, ce petit mot de « con » que j'entendais à tout bout de champ. Pourquoi ai-je dit cela ? Pourquoi n'y avais-je pas pensé ?

— Excuse-moi, S., je ne l'ai pas dit exprès. Ce n'était pas mon intention d'être désagréable... Bien au contraire. C'est malheureux que le son de ma langue qui dit cette belle couleur fasse penser à un vilain mot en français... Excuse-moi, vraiment...

S. me sourit d'un sourire forcé. Nous passâmes le reste de la soirée comme si de rien n'était... En tout cas, je ne me souviens de rien. Je la revis plusieurs fois après ce fiasco. Chaque fois elle me saluait aimablement. Mais il y eut d'autres rencontres, d'autres fêtes. Les contacts se raréfièrent. Et enfin, elle disparut de mon champ. Je laisse aux amateurs de psychanalyse le soin d'interpréter tout le mécanisme qui me poussa à féliciter cette amie pour son élégance vestimentaire. Elle m'attirait, mais je n'étais pas amoureux : ni discrète ni pétillante, l'accent *suzannesque* lui manquait, si j'ose dire. Qu'est-ce qui se passait au juste chez moi, lorsque j'ai osé lui offrir cette syllabe [*kon*] qui, dans l'univers sonore de ma langue d'origine, traduisait parfaitement le bleu marine de son pantalon ?

3

Un autre souvenir-cicatrice. Cette fois, je me suis blessé seul ; personne n'a été victime de ma bêtise.

Je rédigeai, pendant mon deuxième été montpelliérain, un mémoire sur Rousseau que je devais remettre à mon université japonaise. J'avais lu les livres majeurs du philosophe ; j'avais lu également les principaux ouvrages de critique sur lui ; je m'étais fait une collection de citations que je comptais placer dans un certain ordre afin d'illustrer la dynamique argumentative. Le règne du numérique était encore loin. Pas de PC. Pas même, d'ailleurs, de machine à écrire à ma portée. J'écrivais tout au crayon à papier. J'aimais en effet à recopier de belles pages de Rousseau et des textes de certains critiques qui savaient parler à la littérature et de la littérature. C'était un exercice qui ne me coûtait pas ; au contraire, j'y puisais du plaisir, un plaisir d'accompagnement, voire d'identification. Recopier un auteur, c'était pour moi assister à l'élaboration d'un discours, suivre le cheminement d'une pensée. C'était un geste d'amour. Je transcrivais amoureusement lignes, phrases, paragraphes. Et je mettais tout mon soin à la propreté de ma transcription. En un mot, je m'étais transformé en copiste. J'avais en tête l'image des manuscrits autographes de Rousseau qui, à un certain moment de sa carrière, décida d'être copiste de musique pour ne pas faire de la littérature un pur objet mercantile. Ainsi, mes citations recopiées étaient-elles dotées d'une certaine beauté calligraphique qui me plaisait passablement.

L'ardeur avec laquelle je les avais réalisées demeura intacte pour la rédaction de mon mémoire. Je calligraphiais mes propres phrases, mes propres pages, comme si la régularité des lignes tracées et la propreté des mots transcrits garantissaient la beauté de la formulation et la pertinence de la pensée. (Affreuse et idiote illusion !) Je consommais des feuilles blanches, mais je consommais surtout des crayons à papier et des gommes.

Au seuil de l'automne, j'avais écrit une centaine de pages dont j'étais du reste assez content. Je voulais maintenant que ce travail fût lu et corrigé par un Français. Je connaissais alors un professeur de littérature médiévale qui, malgré son statut et un écart d'âge assez important, était comme un ami. Il accepta de me lire. Mon manuscrit me revint, parsemé çà et là de notations en rouge. Ce fut un petit choc qui blessait le sentiment de satisfaction dans lequel je baignais encore après les cent pages engendrées avec joie et souffrance. Mais il était bien normal au demeurant que la première tentative d'écrit d'un étranger comportât des fautes et des maladresses. Ce n'était pas les corrections, qui me permettaient en vérité d'appréhender les progrès à accomplir, qui me chagrinaient. C'était une petite lettre qui s'était glissée à mon insu dans le *premier* mot du mémoire : j'avais écrit « INTORODUCTION » au lieu de « INTRODUCTION ». C'était cette lettre « O » qui provoquait tout mon énervement, toute ma colère contre moi-même ; mon malheur venait de ce signe de trOp qui faisait irrésistiblement penser à un zéro. On aurait dit que tout ce que j'avais échafaudé tombait à l'eau à cause de ce « O » qui me signifiait la nullité de tout ce qui suivait. Puis, la laideur de ces deux syllabes [*toro*] m'était insupportable : elles me suggéraient non pas *taureau*, mais un adjectif japonais [*toro-i*] qui veut dire *sot, idiot, simple d'esprit*. Je me haïssais dans cette représentation de moi-même, larvée au fond de ces deux syllabes surgies par la médiation de la seule lettre « O » ! J'étalais mon idiotie dès le début de mon mémoire ; je la révélais ostensiblement à mon ami professeur... C'était navrant et exaspérant.

Mais pourquoi diable cette malheureuse lettre « O » s'était-elle introduite, échappant complètement à ma vigilance ? Je crois pouvoir affirmer que c'est l'image acoustique du mot japonais d'origine anglaise « *intOrodakushon* » qui m'a induit en erreur. Est-ce donc le mot japonais que j'entendais au moment même où, dans un état de concentration oublieuse de soi, je croyais soigneusement calligraphier au crayon à papier le mot français ? Oui, c'était cela, malheureusement. Combien de fois effaçai-je ce mot, ce premier mot de mon mémoire pour le réécrire, pour l'installer enfin dans la netteté désirée et désirable de chacune de ses douze lettres constitutives ? Au plus profond de mon désir de m'approprier le mot français à travers le geste d'un calligraphe amoureux de ses signes graphiques, j'avais été trahi par le son originaire qui ne cédait pas si facilement. L'ovale bien tracé de la lettre « O » témoignait de son entêtement. C'était l'indice ténu mais sûr de la présence solitaire d'un Japonais dans l'univers français. Mon crayon à papier me ramenait à ma langue première ; c'est ce petit outil d'écriture — bien japonais, car tous les écoliers apprennent à écrire au crayon à papier et jamais au stylo, interdit — qui me fit prendre conscience de mon *étrangéité*.

4

Le crayon à papier fut encore, dans un tout autre contexte, révélateur de mon *étrangéité*. Cela eut lieu dans un amphithéâtre de l'université à Montpellier. Je passais un examen qui avait commencé le matin très tôt, vers huit heures trente. Il faisait encore nuit quand j'avais quitté la résidence universitaire ensommeillée. C'était étrange de marcher sous un ciel étoilé pour aller à la fac. Je pris place au milieu de l'amphi, à l'extrémité d'un rang à côté de l'allée. C'était mon premier grand examen français qui durait trois heures : il portait sur la linguistique ou peut-être sur la grammaire structurale. M. de La Bretèque, professeur d'études cinématographiques et directeur du Centre de formation pédagogique, était là pour surveiller. J'avais eu l'occasion de m'entretenir avec lui au sujet de mon programme d'études au lendemain du test d'évaluation que j'avais passé en arrivant à Montpellier et dont je vais bientôt parler. Le silence régnait. On n'entendait que le bruit des stylos et des feuilles qu'on tournait et retournait. Le trac qui m'avait saisi me quittait. Je maîtrisais le sujet vaille que vaille ; je construisais des paragraphes en me référant à Georges Mounin dont j'avais lu *Les Problèmes théoriques de la traduction*. M. de La Bretèque restait la plupart du temps assis sur une chaise placée tout à fait en bas de l'amphithéâtre, juste à côté des quelques marches qu'on monte pour accéder à la tribune. Mais, de temps à autre, il se levait et circulait lentement comme pour se dégourdir. À un certain moment, je le vis s'engager dans l'allée qui le conduisait vers moi. Il monte tout doucement. J'entends à peine ses pas qui ne troublent guère notre concentration. Je me replonge dans mes lignes sur Mounin. Je suis mon idée, j'écris des mots au crayon à papier, j'en efface quelques-uns pour en écrire d'autres. Les pas se rapprochent tout doucement. Tout à coup, j'entends la voix claire de M. de La Bretèque me chuchoter à l'oreille sur un ton légèrement rieur :

— L'examen est long, vous avez raison de vous donner de l'énergie en mangeant à l'occasion un petit morceau de fromage.

Je relève la tête. Je vois alors un visage rayonnant de sourire jetant son regard sur la boîte ronde de *Vache qui rit* posée devant moi. Après une brève hésitation, j'ouvris lestement la boîte. Le professeur surveillant vit alors, non pas de *Vache qui rit* en six parts triangulaires, mais des copeaux fins que j'y mettais chaque fois que je taillais ma mine usée et arrondie. M. de La Bretèque manifesta un étonnement mêlé de gêne en poussant un petit « ah ! ». Et il ajouta à voix basse :

— Si tout le monde était comme vous ! ...

« L'université serait un peu plus propre... », aurait-il ajouté si le profond silence de l'amphithéâtre ne l'avait pas empêché de poursuivre... Il ne fallait surtout pas que je comprenne : « Nous aurions des copies plus propres et mieux écrites ! »... Autour de moi, comme il se doit, tout le monde écrivait au stylo à encre ou au stylo à bille. Personne n'avait de crayon ni de gomme. J'appris plus tard que l'usage du crayon à papier était prohibé dans les écoles (eh oui, on voit bien dans *Les Quatre Cents Coups* que Jean-Pierre Léaud et ses camarades écrivent avec un porte-plume et que sur leur bureau il y a même un encrier !). Me faisait-on une faveur ? Fermait-on les yeux sur mon étrange pratique d'écolier venu d'ailleurs ? Sans doute. J'ignorais que les Français faisaient d'abord des brouillons pour les mettre ensuite au propre. Avais-je d'ailleurs le temps de me perdre dans les brouillons, moi qui étais lent en écriture, qui avais du mal à formuler ma pensée en français, qui mettais donc deux ou trois fois plus de temps pour écrire ? Il était hors de question pour moi d'utiliser comme tout le monde un stylo Bic qui rendait ma copie sale et illisible en la bourrant de ratures. L'idée d'une copie sale m'était insupportable. C'était un manque de politesse à l'égard du professeur ; c'était surtout manquer d'amour pour la langue que j'écrivais.

5

Revenons à mes premiers jours à Montpellier. Le lendemain de ce maudit : « Merci beaucoup, monsieur », je passai le test d'évaluation comme prévu : grammaire, phonétique, production écrite, puis compréhension de textes. Pour cette dernière épreuve qui se déroula sous la forme d'un entretien avec un enseignant, j'eus à lire un texte de Paul Valéry, extrait de ses *Regards sur le monde actuel* :

Il n'est pas nation plus ouverte, ni sans doute de plus mystérieuse que la française ; point de nation plus aisée à observer et à croire connaître du premier coup. On s'avise par la suite qu'il n'en est point de plus difficile à prévoir dans ses mouvements, de plus capable de reprises et de retournements inattendus. Son histoire offre un tableau de situations extrêmes, une chaîne de cimes et d'abîmes plus nombreux et plus rapprochés dans le temps que toute autre histoire n'en montre. À la lueur même de tant d'orages, la réflexion peu à peu fait apparaître une idée qui exprime assez exactement ce que l'observation vient de suggérer : on dirait que ce pays soit voué par sa nature et par sa structure à réaliser dans l'espace et dans l'histoire combinés une sorte de figure d'équilibre, douée d'une étrange stabilité, autour de laquelle les événements, les vicissitudes inévitables et inséparables de toute vie, les explosions intérieures, les séismes politiques extérieurs, les orages venus du dehors, le font osciller plus d'une fois par siècle depuis des siècles. La France s'élève, chancelle, tombe, se relève, se restreint, reprend sa grandeur, se déchire, se concentre, montrant tour à tour la fierté, la résignation, l'insouciance, l'ardeur, et se distinguant entre les nations par un caractère curieusement personnel.

J'éprouvai une grande surprise, quand je commençai à lire les premières lignes. C'était un texte que j'avais bien étudié à Tokyo, en deuxième année, avec un professeur japonais. Je l'avais trouvé horriblement difficile. En une séance on n'avançait que d'une vingtaine de lignes. Certains rouspétaient contre le choix du texte, d'autres s'en fichaient en disant que, de toute façon, ils auraient l'examen... Quant à moi, je ne capitulais pas. Au contraire, j'éprouvais un plaisir quelque peu masochiste dans la solution progressive, point par point, de toutes les difficultés grammaticales et dans l'éclaircissement stoïquement mené du sens des unités lexicales, syntaxiques et textuelles. Mais je poussai mon plaisir encore plus loin... En lisant et relisant le texte valérien à haute voix (c'est l'habitude dont je ne me suis jamais défait depuis mon écoute des sons à la radio), j'en sentais obscurément toute la richesse sonore, tout l'ondoiement acoustique. J'eus alors l'idée de me faire faire un enregistrement de ce texte dont je commençais à aimer jusqu'à l'extrême difficulté... J'allai voir un jeune professeur français, Jean-Luc Domenach, aujourd'hui un des meilleurs spécialistes de la Chine contemporaine, alors en poste à titre de coopérant culturel à l'université nationale des langues et civilisations étrangères de Tokyo. Je lui montrai le texte de Valéry et lui dis mon désir d'enregistrer sa lecture à haute voix et d'en faire un modèle à mon usage personnel. Il fut un peu étonné, sceptique peut-être quant à l'efficacité pédagogique d'une telle réalisation, mais il accepta de se conformer à mon désir.

J'entends encore la voix de Jean-Luc Domenach dans cet enregistrement tout artisanal effectué sur un petit magnétophone à cassettes, un autre magnétophone que mon père m'avait offert entre-temps et que je transportais dans mon sac en bandoulière au cours de mes déplacements quotidiens. On était encore loin, très loin de l'ère des baladeurs et des iPods. Dans le métro et l'autobus, personne n'avait d'écouteurs dans ses oreilles, sauf moi ; je me bourrais de *musique française*; j'étais sous perfusion linguistique de façon quasi permanente.

Mon examinateur me demanda de lire à haute voix le premier paragraphe de ce texte de Valéry intitulé « Images de la France ». Je l'exécutai. Car je me croyais presque dans la peau d'un musicien qui exécute une œuvre musicale, en accentuant certaines notes, en ménageant des silences, en accélérant ou, au contraire, en ralentissant pour certains segments de phrases. Je mis toute mon énergie, toute ma passion empathique dans mon interprétation... Quand je terminai la lecture, mon unique public, visiblement décontenancé, déclara :

— C'est magnifique, ce que vous faites ! Vous parlez remarquablement bien... Comment est-ce possible ?

— C'est que je connais ce texte... Je l'ai travaillé à Tokyo.

— Oui, mais quand même... Vous êtes vraiment japonais ?

J'eus la flemme de lui expliquer toute l'histoire de l'enregistrement artisanal et de mon entraînement personnel forcené. Il me félicita. Surtout, il exprima tout son étonnement devant ma performance déclamatoire. Je le remerciai de ses aimables paroles encourageantes et je me retirai. J'étais comme un pianiste ovationné après son récital.

Le nom de Jean-Luc Domenach est lié dans ma mémoire à un autre nom, à un autre texte. Lors d'un de ses derniers cours à Tokyo, il choisit un passage de *Notre jeunesse* de Charles Péguy, un auteur dont je n'avais jamais entendu parler. Je ne me rappelle pas grand-chose de ce qu'il a dit à propos et autour de ce texte voici près de quarante ans. Ce qui me reste aujourd'hui d'intact en revanche, c'est le souvenir d'une lecture à haute voix que j'en ai faite devant lui et devant l'ensemble de mes camarades. C'était probablement la dernière des trois ou quatre séances que Jean-Luc avait consacrées à Péguy. Pour mettre le point final au travail sur cet auteur (mais comment s'y prenait-il avec un texte pareil?), il voulut que quelqu'un lût le passage de *Notre jeunesse* et il me désigna. Je n'étais pas fâché d'être sollicité pour cette tâche car, fasciné par la force incantatoire du style de Péguy, je m'étais livré à la maison au plaisir quasi physique de réciter le texte. Je ne me lassais pas de le répéter sans cesse pour le bonheur de l'entendre dans sa matérialité phonique et de lui donner ainsi une forme sensible; autrement dit, pour la satisfaction d'en faire une majestueuse architecture sonore. J'eus donc l'audace de mettre le meilleur de moi-même dans cet exercice de récitation scolaire :

Vous nous parlez de la dégradation républicaine, c'est-à-dire, proprement, de la dégradation de la mystique républicaine en politique républicaine. N'y a-t-il pas eu, n'y a-t-il pas d'autres dégradations. Tout commence en mystique et finit en politique. Tout commence par la mystique, par une mystique, par sa (propre) mystique et tout finit par de la politique. La question, importante, n'est pas, il est important, il est intéressant que, mais l'intérêt, la question n'est pas que telle politique l'emporte sur telle ou telle autre et de savoir qui l'emportera de toutes les politiques. L'intérêt, la question, l'essentiel est que dans chaque ordre, dans chaque système, la mystique ne soit point dévorée par la politique à laquelle elle a donné naissance.

L'essentiel n'est pas, l'intérêt n'est pas, la question n'est pas que telle ou telle politique triomphe, mais que dans chaque ordre, dans chaque système, chaque mystique ne soit pas dévorée par la politique issue d'elle. [...]

Je terminai la lecture de cette page de *Notre jeunesse* que je m'abstiens de citer *in extenso*... Il y avait un silence, un grand silence, prolongé, bruissant d'étonnement et, peut-être, d'émotion aussi... (J'étais moi-même ému, en tout cas.) Le professeur avança quelques mots aimables et flatteurs sur ma récitation. Toute l'énergie, toute la force persuasive que j'avais mises, toute la vie du texte que j'avais ainsi essayé de ressusciter dans ma lecture avait peut-être réussi à le persuader que j'épousais intimement le texte, que j'en saisissais l'enjeu majeur, et que mon intention interprétative rejoignait celle de l'auteur. J'ignore la raison précise pour laquelle Jean-Luc Domenach avait choisi, à l'attention de ses étudiants qui n'avaient derrière eux que deux ans et demi de français tout au plus, un texte aussi ardu, aussi culturellement éloigné, et surtout aussi peu commun stylistiquement (ne serait-ce que par l'absence significative de points d'interrogation). Mais à quarante ans de distance, à travers mon propre souvenir encore si vif de ce texte de Péguy qui s'articule autour de l'idée centrale de la dégradation de la mystique en politique, de la *perte du sens* dans le monde moderne, je crois pouvoir imaginer la pensée secrète qui se mouvait dans le cœur du jeune intellectuel français de vingt-cinq ans qu'était alors mon professeur, un jeune homme donc à peine plus âgé que moi de quatre ou cinq ans qui, peut-être, vivait lui aussi aux prises avec des mots d'une insoutenable et affligeante *légèreté*, et souffrait donc d'un malaise lié à l'inflation verbale généralisée qui marquait le climat social de ces années issues des secousses de 68 dont, par ailleurs, qu'on le veuille ou non, nous sommes tous fatalement bénéficiaires pour le meilleur et pour le pire. Le style véhément et imprécateur de Péguy, si caractéristique aussi en ce qu'il procède par accumulations de synonymes, répétitions amplificatrices, pour lancer un interminable et infatigable processus de recherche du vrai, était chargé, pour moi tout au moins, d'une honnêteté, d'une innocence réconfortantes, et d'une puissance salvatrice à laquelle j'aspirais pour guérir de mes maux de langue.

Je ne savais rien, je l'ai dit, de Péguy, de ce « mécontemporain » selon le titre d'un ouvrage qu'Alain Finkielkraut lui a consacré. Mais je me reconnaissais en lui, si j'ose dire, tel qu'il m'apparaissait dans ce fragment. Je voyais, j'entendais, je découvrais dans les périodes de Péguy, non pas des pensées arrêtées et définitives, ni même des idées claires, mais un effort de pensée et de formulation, obstinément et inlassablement poursuivi et recommencé. Et c'est cet effort de *déprise* ou de *dépaysement*, ce mouvement tendu vers la naissance d'une pensée délivrée de toute pesanteur tutélaire, qui était pour moi un remède précieux. Péguy aurait dit : « Il y a quelque chose de pire que d'avoir une mauvaise pensée. C'est d'avoir une pensée toute faite. » Je l'avais entendu, ce message, dans le texte que je récitai il y a quarante ans, dans une petite salle de classe perdue quelque part dans l'immensité de Tokyo.

À la suite du test d'évaluation, je me trouvai parmi beaucoup d'enseignants de différents pays. C'étaient des professeurs de français langue étrangère ayant déjà une assez longue expérience professionnelle dans leur pays, surtout dans l'enseignement secondaire. Ils venaient passer un an à Montpellier pour se recycler dans les réflexions pédagogiques récentes. Perdu dans cette masse de professeurs confirmés, je me sentais décalé, puisque d'une part, étudiant et non professeur, j'étais beaucoup plus jeune qu'eux et que d'autre part, j'étais là plutôt pour faire l'expérience d'une *immersion* totale dans la langue française que pour m'intéresser aux problèmes théoriques et pratiques de l'enseignement du français langue étrangère. *Habiter* le français comme le dit si bien Cioran, en faire un lieu de vie, mon espace vital, ma demeure permanente, mon paysage intime, mon milieu environnemental essentiel, c'était là précisément l'objectif prioritaire et non négociable. J'allai trouver le directeur du CFP, M. de La Bretèque que j'ai précédemment évoqué. Je lui communiquai mon désir de pratiquer le français le plus intensément possible pendant ma première année montpelliéraine tout au moins, quitte à consacrer ma deuxième année à ma formation spécifiquement pédagogique. Il m'accorda que j'avais raison d'envisager mes études à l'université Paul-Valéry de cette façonlà et m'autorisa à suivre tous les cours de français qui semblaient convenir à mon désir d'immersion. Je fus ainsi délesté du poids proprement pédagogique de la formation qui m'était destinée. Je me fis moi-même un emploi du temps composé d'une quinzaine d'heures de cours de langue française choisis çà et là. J'étais ravi de la perspective de cette *plongée sous-marine* linguistique d'une longue durée.

J'eus dès lors toute latitude de bénéficier, certes dans les limites propres à mon statut d'auditeur libre occasionnel, de l'enseignement tant attendu et désiré de Jacques Proust.

6

C'est par l'intermédiaire d'une enseignante du CFP, Mme M., que j'eus la chance de saluer ce maître des études dix-huitiémistes disparu en 2005. C'était tout à fait au début de mon séjour à Montpellier. J'avais été convié à la soutenance de thèse d'un ami de Mme M. qui connaissait bien Jacques Proust et qui m'avait dit qu'elle se ferait un plaisir de me présenter à ce professeur dont les travaux m'étaient encore largement inconnus : celui-ci, en effet, faisait partie du jury de thèse. Mme M. m'avait prévenu que Jacques Proust venait de rentrer d'un séjour au Japon.

Je vis ce jour-là combien les professeurs français pouvaient être éloquents... Évidemment, je ne comprenais pas tout, loin de là. Mais l'éloquence, une grande éloquence était là, qui me semblait contraster avec le *vide* abyssal de toutes les harangues « révolutionnaires » dont mes oreilles avaient été rebattues et harassées. C'était quelque chose de nouveau, une dimension nouvelle de la langue qui se révélait à moi. On aurait dit qu'une soutenance de thèse s'organisait non pas pour entendre le doctorant mais pour donner aux membres du jury l'occasion de se produire. Quand ce fut le tour de Jacques Proust de prendre la parole, j'étais tout oreilles pour ne pas manquer un seul mot de son commentaire. C'était un travail sur Jean Genet. Je regardais le professeur ; il me regardait aussi de temps à autre. Je sentais s'installer entre nous une mystérieuse connivence. Pourquoi un spécialiste de Diderot et de l'*Encyclopédie* prenait-il part à un jury qui examinait une thèse sur Jean Genet ? À cette question que j'avais naïvement posée à Mme M., celle-ci avait répondu que c'était le candidat lui-même qui avait voulu que Jacques Proust fît partie du jury et que celui-ci était pour le candidat quelqu'un de très important, pour ainsi dire son *père spirituel*. (L'expression « père spirituel » fut gravée dans mon esprit à ce moment-là, en parfaite résonance avec tout ce qui se passait de profondément loyal et affectueux entre le père et le fils. Je me suis demandé si j'aurais un jour un *père spirituel*.)

Après la cérémonieuse soutenance, Mme M. me présenta enfin au maître.

— Jacques, je te présente M. Mizubayashi, un stagiaire au CFP, mais qui s'intéresse à Rousseau. Il vient de Tokyo.

— Je m'en doutais...

Animé par les souvenirs japonais tout frais, le regard de Jacques Proust s'était naturellement posé sur moi ; il avait vu sans doute tous les traits caractéristiques, physiques et extra-physiques, d'un Japonais. D'où l'expression « Je m'en doutais » qui, à ce moment-là, est entrée, définitivement, dans ma panoplie d'expressions françaises.

— Bonjour, monsieur. Je suis là pour deux ans. On m'a affecté au CFP pour que je reçoive une formation pédagogique. Mais pendant mon séjour à Montpellier, je compte rédiger un mémoire sur Rousseau pour mon université à Tokyo. Là-bas, je ne suis qu'un simple étudiant de quatrième année. Je suis encore loin d'être au niveau de vos disciples japonais chercheurs en doctorat...

Le maître montpelliérain était un homme d'une belle stature. Il ne souriait presque pas. Il donnait l'impression d'un homme placide, un peu froid même, réservé, en tout cas, qui ne cherchait pas à établir des liens. Il était pour tout dire intimidant. Du haut de son mètre quatre-vingt-cinq (je le voyais en contre-plongée), il cita les noms de quelques-uns des Japonais qu'il avait connus ou qu'il avait pris sous sa direction, pour me demander si je les connaissais. Je n'en connaissais aucun. C'étaient des gens qu'une dizaine d'années séparaient de moi. Il évoqua alors brièvement ses déplacements à l'intérieur de l'archipel nippon. Je sentis au ton sur lequel il en parlait un fort intérêt qui, à l'évidence, ne se bornait pas à l'exotisme. Je lui exprimai, de mon côté, mon désir d'assister au moins à un de ses cours. Il me donna son accord. Mon emploi du temps, cependant, ne me laissait pas une très grande plage de disponibilité. Seul le cours de licence m'était accessible entre deux cours du CFP. Je décidai donc de me glisser parmi les étudiants français de licence qui suivaient l'enseignement de Jacques Proust sur la « lecture réfléchie de textes littéraires ».

C'était un cours où l'on devait lire, « un crayon à la main » selon l'expression même du professeur, un certain nombre de textes littéraires : un extrait des *Confessions* de Rousseau, un passage de *Germinal* de Zola, un poème d'Éluard et peut-être aussi (là, mon souvenir flanche) un texte de Balzac tiré du *Père Goriot*. Je fus d'abord surpris de tout le soin que Jacques Proust apportait à la préparation des documents polycopiés réservés à l'usage des étudiants. L'objectif du cours, les sujets d'exposés, l'organisation des séances, la bibliographie analytique et les conseils de lecture avec, en plus, la cote précise, pour chaque livre signalé, qu'il fallait connaître pour l'emprunter à la bibliothèque. Il nous prévint que chaque séance serait enregistrée sur cassette audio et que les enregistrements seraient mis, au fur et à mesure, à la disposition des étudiants non assidus. Il ajouta enfin qu'un étudiant ou une étudiante serait désigné(e) au début de chaque séance pour qu'il (elle) prît des notes et que lors de la séance suivante, il distribuerait ces notes sous forme de photocopies à tous les participants, en les accompagnant de commentaires critiques. Cette pratique des notes prises par un participant et distribuées ensuite à l'ensemble de la communauté du cours était une façon, précisait Jacques Proust, de faire connaître aux absents l'essentiel du travail de chaque séance, mais aussi de revoir le travail effectué en cours et de l'approfondir éventuellement, tout en signalant les faiblesses et les lacunes dans les notes réalisées par un membre.

Mon étonnement était total. Je n'avais jamais imaginé qu'un cours pût être une pratique à ce point *communautaire*, tout en demeurant un lieu d'activité et de réflexion *individuelles* et *solitaires*. Le professeur était ainsi animé par le souci de mettre en commun le contenu de son cours et la réflexion collective qui s'élaborait pendant chaque séance. Les paroles du maître et les réactions des élèves qu'elles suscitaient constituaient une sorte de bien public, une fois qu'elles étaient enregistrées et photocopiées pour être rangées dans un coin de la bibliothèque du département de français et mises à la disposition de tous les membres de la communauté du cours. C'était là une sorte de *république* en miniature soudainement apparue au sein d'une salle de cours d'université, sans que peut-être personne, ni même le professeur lui-même, ne fût clairement et réellement conscient de ce surgissement politique.

Aujourd'hui, quarante ans après ce moment d'étonnement, je n'irai pas jusqu'à affirmer que cette manière de procéder est représentative des pratiques enseignantes en France. Mais je suis convaincu que la conception et l'approche de l'enseignement telles qu'on les observe en France se trouvent profondément ancrées dans la forme et la constitution de la communauté politique tout entière. En 1973, bien sûr, j'étais encore dans l'ignorance totale de la *passion française* pour la question scolaire et éducative, cet aspect fondamental de la France qu'est le lien qui unit l'école et le régime républicain. Mais dès les premiers instants de mon existence d'étudiant en France, je touchais vraisemblablement, sans le savoir, dans la réalité la plus ordinaire, la plus humble de la vie universitaire, à l'une des formes les plus abouties de cette passion française, à l'une des manifestations les plus admirables de l'amour de la *res publica*.

Je suis devenu à mon tour professeur d'université dans mon pays d'origine. Et un jour, bien des années après mon retour à Tokyo et quelques mois peut-être après le décès de ce maître, il m'est venu un rêve étrange. Dans une salle en tout point semblable (dimension, saleté, fenêtres, lumière tamisée, nombre d'étudiants, etc.) à celle de Montpellier d'il y a quarante ans, j'étais en train d'animer une séance d'explication de texte. Je suis debout. J'ai mon texte à la main (Molière ? Mme de Lafayette ? Rousseau ? Balzac ?...). Je le regarde, puis je lève les yeux. Et là, chose étonnante, je crois voir Jacques Proust égaré parmi mes étudiants. C'était un Jacques Proust vieilli, drapé jusqu'aux oreilles d'un manteau brun, enseveli dans la masse des têtes aux cheveux noirs, assis au fond de la salle dans une immobilité remarquable, m'observant, m'écoutant, me regardant d'un air tantôt sévère tantôt satisfait. C'était un peu comme la soudaine apparition fantomatique de feu Sainte-Colombe (Jean-Pierre Marielle) devant le vieux Marin Marais (Gérard Depardieu) dans *Tous les matins du monde* d'Alain Corneau : la scène finale où l'ancien élève de Sainte-Colombe aperçoit son maître, le temps d'un rêve éveillé ou d'une perception hallucinatoire, dans une grande salle de Versailles où il vient d'interpréter devant une assemblée de musiciens *Le Tombeau des regrets*. Il s'agit d'une œuvre de Sainte-Colombe précisément, qu'une fois en sa jeunesse Marin Marais a jouée avec le maître, dans un face-à-face fusionnel enfin réalisé au sein de l'exiguïté de la minuscule et humble cabane à peine éclairée d'une bougie, cabane dans laquelle le maître avait coutume de s'exercer parfois en la présence fantasmatique de sa défunte épouse. Cette scène est magnifique. Le vieux maître *revient* (puisque c'est du *revenant* qu'il s'agit) à son ancien élève qui reconnaît avoir « ambitionné le vide » pour « récolter le vide » et chez qui, enfin, *s'est incarné* son enseignement. « J'éprouve de la fierté à vous avoir instruit », murmure le revenant à Marin Marais dans la parfaite clarté de la lumière. Le revenant est là pour dire que, du maître à l'élève, quelque chose de précieux — le désir de la musique — est passé. Le visage d'un adolescent marqué de traînées de larmes en témoigne. La beauté de la transmission. Décidément, il y a des vérités dicibles seulement sous la forme d'une fiction, par la puissance du fantôme, sous l'invocation de l'invisible et de l'inaudible. C'est peut-être ça, l'Art et... la Littérature.

Quant à mon revenant à moi, je n'ai pas eu la chance de Marin Marais : il avait aussitôt disparu sans mot dire... Ai-je vraiment vu cette scène ? Dans un rêve nocturne ? Ou dans un rêve éveillé ? J'ai beau en tout cas la mettre en doute, elle persiste... elle revient... Au lieu de s'évanouir, elle s'est raffermie. Et maintenant je suis réellement habité par cette image spectrale de mon professeur « vieilli, drapé jusqu'aux oreilles d'un manteau brun »... C'était sans doute un rêve d'une nuit d'hiver... Sans doute... Il était là, et il est toujours là, quand je ferme les yeux, muré dans un silence observateur, et bienveillant tout de même...

Je n'ai côtoyé Jacques Proust, ce professeur exemplaire, que dans le cadre de son cours ou dans des lieux de conférences à Tokyo. Je n'ai eu aucun lien d'amitié, aucune espèce d'affection privée qui me rapprochât de lui, et ce fut peut-être ma chance, car j'ai eu ainsi l'opportunité de connaître un vrai maître, un authentique professeur digne de ce nom dans sa pure manifestation objective, un peu comme Régis Debray (je sais que la comparaison est osée, mais...) qui a connu son maître Jacques Muglioni seulement entre les murs de son lycée, ce maître « qui ne [l']aurait sans doute pas émancipé, à [son] insu, du père, des tutelles sociales et du poids des copains s'il n'avait pas lui-même refusé de devenir [son] père, [son] tuteur et [son] copain », et qui « avait durant un an gardé cette distance, cette retenue un peu sévère et pourtant attentive ».

Je ne vous oublierai pas, monsieur Proust. Non, je ne vous oublierai pas.

7

Non, je n'oublierai pas Jacques Proust. Car il y a encore quelque chose à ne pas oublier quant à ce que j'ai appris auprès de lui : l'approche critique des textes littéraires. Ou je devrais dire plutôt qu'il m'a transmis le plaisir de la réflexion littéraire, de la réflexion sur la littérature. Oui, Jacques Proust est le premier à m'avoir transmis le plaisir de la lecture attentive à tout ce qui fait la spécificité du texte. C'est sous son contrôle à la fois sévère et bienveillant que j'ai commencé à pénétrer dans l'univers des écrits intimes de Rousseau. L'attitude méthodique et systématique qu'il qualifiait de « symptomale » et qui consistait à scruter les détails significatifs, les manières insolites, les accidents de langage, disait-il, fut pour moi une véritable découverte ; je n'avais connu jusqu'alors que des pratiques de classe largement réductibles à de simples et insipides exercices de version.

Lors d'une des séances du cours d'initiation à la « lecture réfléchie de textes littéraires » que je suivais donc aussi régulièrement que possible, le maître nous proposa un extrait du livre VI des *Confessions* que je ne m'interdis pas de citer, car c'est, si l'on peut dire, un des premiers monuments de la littérature que j'ai visités avec un guide professionnel :

J'avais tout à fait perdu chez maman le goût des petites friponneries, parce que tout étant à moi, je n'avais rien à voler. D'ailleurs les principes élevés que je m'étais faits devaient me rendre désormais bien supérieur à de telles bassesses, et il est certain que depuis lors je l'ai d'ordinaire été : mais c'est moins pour avoir appris à vaincre mes tentations que pour en avoir coupé la racine, et j'aurais grand'peur de voler comme dans mon enfance si j'étais sujet aux mêmes désirs. J'eus la preuve de cela chez M. de Mably. Environné de petites choses volables que je ne regardais même pas, je m'avisai de convoiter un certain petit vin blanc d'Arbois très joli, dont quelques verres que par-ci, par-là je buvais à table m'avaient fort affriandé. Il était un peu louche ; je croyais savoir bien coller le vin, je m'en vantai, on me confia celui-là ; je le collai et le gâtai, mais aux yeux seulement ; il resta toujours agréable à boire, et l'occasion fit que je m'en accommodai de temps en temps de quelques bouteilles pour boire à mon aise en mon petit particulier. Malheureusement je n'ai jamais pu boire sans manger. Comment faire pour avoir du pain ? Il m'était impossible d'en mettre en réserve. En faire acheter par les laquais, c'était me déceler, et presque insulter le maître

de la maison. En acheter moi-même, je n'osai jamais.
Un beau monsieur l'épée au côté aller chez un bou-
langer acheter un morceau de pain, cela se pouvait-il ?
Enfin je me rappelai le pis-aller d'une grande prin-
cesse à qui l'on disait que les paysans n'avaient
pas de pain, et qui répondit : « Qu'ils mangent de
la brioche. » J'achetai de la brioche. Encore, que de
façons pour en venir là ! Sorti seul à ce dessein, je
parcourais quelquefois toute la ville, et passais devant
trente pâtissiers avant d'entrer chez aucun. Il fallait
qu'il n'y eût qu'une seule personne dans la boutique,
et que sa physionomie m'attirât beaucoup, pour que
j'osasse franchir le pas. Mais aussi quand j'avais une
fois ma chère petite brioche, et que, bien enfermé dans
ma chambre, j'allais trouver ma bouteille au fond
d'une armoire, quelles bonnes petites buvettes je faisais
là tout seul en lisant quelques pages de roman ! Car
lire en mangeant fut toujours ma fantaisie, au défaut
d'un tête-à-tête. C'est le supplément de la société qui
me manque. Je dévore alternativement une page et un
morceau : c'est comme si mon livre dînait avec moi.

Le professeur lut d'abord le texte. Il le lut sur
un ton calme et retenu, tout en ménageant çà
et là des silences, tout en accentuant quelques
mots clés. Puis, surtout, dans la voix de baryton
du maître qui me séduisit (elle me rappelait un
peu celle de Dietrich Fischer-Dieskau, le comte
Almaviva des *Noces* dans la version de Karl Böhm
que j'avais emportée à Montpellier et que je ne
me lassais pas d'écouter et de réécouter), il y

avait de l'éclat, un éclat particulier presque cristallin qui augmentait le charme de la réalité sonore du texte (comment arrive-t-il à faire résonner le texte aussi dramatiquement, aussi polyphoniquement?) Quant à la dimension thématique, ce fut tout simplement une révélation. Immédiatement, je fus saisi par ce qui se donnait à lire dans ce court fragment autobiographique. Je ne ferai pas une explication de texte, ce n'est pas le lieu, mais je signalerai juste deux ou trois petits détails, car cette lecture conduite sous la précautionneuse surveillance de Jacques Proust fut pour moi une expérience inoubliable où pour la première fois j'ai éprouvé le sentiment d'*entrer* dans un texte pour en comprendre de l'intérieur les mécanismes de signification. L'apparition devant moi de ce texte fut providentielle : il allait devenir un intense et durable foyer de réflexion dans mes travaux à venir.

Une évidence : le texte s'organise autour de deux thèmes couplés : le vol et l'achat. Ce que j'ai appris, c'est que quelque chose se dit, quelque chose se dégage dans un texte comme celui-ci, comme un effet inattendu, au-delà des énoncés manifestes. Je percevais cela dans la manière dont Rousseau renverse la hiérarchie morale des deux actes d'appropriation que sont le vol et l'achat. L'écrivain décrit en effet l'achat, sans doute à son propre insu et contre toute attente, comme une affaire infiniment plus compliquée que le vol qui, lui, relève simplement du désir.

J'ai cru saisir le nœud du texte lorsque j'ai observé cet effet de renversement. Le jeune précepteur vole des bouteilles de vin d'Arbois avec une insouciance si naturelle et irréfléchie que cela se raconte en deux lignes, tandis que la scène de l'achat de brioche connaît, au contraire, un développement singulier où l'accent est mis sur l'agitation intérieure de l'acheteur. La facilité du vol, la difficulté de l'achat, la jouissance gustative (vin et brioche) qui accompagne celle de la lecture... De ces trois étapes du récit se détache en fin de compte un silence. C'est un *non-dit* autour duquel gravite pour ainsi dire tout le texte : l'argent.

Le plaisir que j'ai tiré de cette première lecture réfléchie, conduite au ras du texte sous l'œil vigilant du professeur Proust, fut considérable. De toute ma scolarité au Japon, ni pendant les heures de japonais, ni pendant les heures d'anglais, ni pendant les heures de français, que ce soit au collège, au lycée ou à l'université, lire un texte n'avait jamais été une activité aussi précise, aussi rigoureuse, aussi attentive à l'agencement des mots. Un texte ne m'était jamais apparu aussi riche, aussi foisonnant de signes à déchiffrer. La lecture ne m'avait jamais autant séduit, car j'ignorais tout simplement la vraie lecture qui est comme une accession progressive à la construction du sens.

Je fus ainsi initié à ce fameux exercice qu'on nomme « explication de texte ». J'en mesurai l'importance et la puissance jubilatoire, quoi qu'en disent ses détracteurs, au cours d'une dizaine de séances magistralement conduites par le maître Proust.

Ainsi, à la fin de ma première année à Montpellier, mon amour pour le français avait-il des ailes d'ange, si j'ose dire. Il s'envolait doucement et hardiment; il planait à une hauteur jusqu'alors insoupçonnée dans la sérénité du ciel des Lettres. Il avait gagné en profondeur aussi. Il plongeait ses racines dans les ténébreuses zones de la vie qui se déroulait sous les toits, dans les rues, dans les jardins, dans la ville, dans les campagnes, et dans toute une contrée enfin où se parlait cette *langue* entre hommes et femmes, jeunes et vieux, enfants et adultes, habitants et gens venus d'ailleurs, et, finalement, entre moi, ce quelqu'un d'ailleurs, et les autres.

8

Je tombai malade au seuil de la période des vacances. J'étais physiquement épuisé. Après tant de jours d'éveil et de réveil, de naissance et de renaissance à une langue nouvelle qui m'adoptait, après tant de nuits passées et dépensées en soirées joviales, en discussions interminables, après tant de semaines et de mois d'investissement dans les multiples cours (allant de la phonétique corrective à la littérature), j'étais à bout.

Je vis un médecin et je mis huit jours pour guérir.

J'étais désormais en vacances. J'avais devant moi plus de trois mois où je serais totalement libre. Rentrer au Japon était hors de question. Le coût financier du voyage aller-retour était dissuasif. Je n'ai donc pas pensé une seconde à la possibilité d'aller retrouver ma famille à Tokyo. J'étais dans cette ville de lumière méditerranéenne pour deux ans, il fallait que j'y reste, un point c'est tout. D'ailleurs, je ne voulais absolument pas briser cette *durée* française qui s'était installée en moi et que je commençais maintenant à vivre pleinement. Allais-je voyager en Europe ? Allais-je découvrir d'autres villes, d'autres régions françaises ? Non, ce n'était même pas une tentation. Beaucoup d'étudiants étrangers, à commencer par mes compatriotes, profitaient des vacances pour entreprendre des voyages parfois longs et audacieux. Allais-je faire ça moi aussi ? Non. Ça ne m'intéressait pas. Mon désir était moins horizontal que vertical. J'étais à Montpellier, je souhaitais avant tout consolider mes rapports avec ma géographie avoisinante, confirmer mes repères, raffermir mon ancrage, me reconfigurer, me reposition- ner dans l'espace du quartier universitaire où j'habitais, dans celui de la ville, ou même dans celui de la région languedocienne. Je vivais, oserais-je le dire, dans la fraîcheur virginale des noces célébrées entre moi et Montpellier. Je tenais à cultiver cette familiarité naissante avec mon environnement urbain immédiat, la déve- lopper, la façonner à mon gré, pour que l'es- pace alentour devienne enfin mon espace à moi. Je voulais m'enraciner, creuser mon exis- tence le plus profondément possible, là où je me trouvais. Chaleur brûlante et sèche mêlée aux senteurs marines, fraîcheur vivifiante des nuits étoilées, fertilité odorante de la terre labourée, couleurs éclatantes du ciel, du sable, des fleurs, des arbres, des maisons, des femmes vêtues de mille manières, tout cela m'était offert dans la pureté étourdissante de la ville méditerranéenne. Et tout cela stimulait et fortifiait chez moi un *vouloir-vivre* qui se traduisait par un désir intense de *lecture-écriture*, par celui tout aussi intense de me baigner dans la profusion et l'effervescence des mots ignorés et des images frappantes qui venaient perpétuellement à ma rencontre. Il n'y avait donc aucune raison d'aller ailleurs.

Je décidai de ne pas bouger. Les voyageurs partaient, revenaient et ils repartaient aussitôt. Leur va-et-vient m'était indifférent. Les mouvements tumultueux des touristes pressés me fatiguaient. Dès lors, je me réjouissais, quant à moi, de demeurer sur les lieux que je fréquentais et que je voulais posséder davantage, et de me borner à quelques connaissances que je m'étais faites. Puis, il fallait que je pense à mon mémoire sur Rousseau. Mon désir de sédentarité estivale s'expliquait aussi par là. Mais m'enfermer dans ma chambre tous les jours du matin au soir pour faire avancer mon travail sur l'auteur des *Confessions*, était-ce vraiment raisonnable ? Ne fallait-il pas faire autre chose que de m'occuper de mon Rousseau ? N'était-il pas nécessaire de m'exposer à des hasards, à des possibilités de rencontre ? Mais comment ? C'est alors que j'eus l'idée de participer au cours d'été pour étudiants étrangers qui était organisé par l'université Paul-Valéry. J'allai voir la dame qui s'occupait des étudiants boursiers du gouvernement français dans un bureau qui se trouvait rue Baudin, en plein cœur de la ville. Je lui dis que je voulais suivre les cours du Centre universitaire des vacances (CUV) pour continuer à progresser. Surprise par mon désir de ne pas bouger, de ne pas changer de ville, elle nota ma demande et me dit qu'elle entreprendrait les démarches nécessaires pour obtenir une bourse dont le montant correspondrait exactement aux frais d'inscription au CUV. Quelques jours après, j'appris que mes vœux avaient été exaucés.

J'eus ainsi l'occasion de suivre les cours du CUV pendant la session de septembre 1974. Le premier jour, je me présentai au secrétariat. Une jeune fille m'accueillit avec un délicieux sourire. Bronzée comme beaucoup d'autres filles, habillée en robe d'été blanche ouverte dans le dos, elle portait un petit foulard rose qui enveloppait presque entièrement ses cheveux relevés et noués avec un élastique rouge, comme si elle voulait les protéger contre l'air vicié. Je lui dis que j'étais boursier du gouvernement français et que mon nom devait figurer sur la liste des personnes dispensées des frais d'inscription.

— Ah, c'est toi, l'étudiant boursier et stagiaire au CFP ! Oui, on m'a téléphoné ce matin à ton sujet. Pas de problème. Tu peux commencer dès demain.

Au tutoiement adopté d'entrée de jeu (un signe parmi d'autres de l'après-68) et au ton convivial et chaleureux sur lequel elle me parla, je compris immédiatement qu'elle était étudiante et qu'elle faisait ce travail temporairement, pour l'été seulement. Je la remerciai. Et lorsque je quittai son bureau, elle m'appela d'une voix chaude et limpide et m'assura avec le même sourire délicieux que je pouvais prendre tous les cours qui me plaisaient.

J'étais content d'aller à la fac chaque jour dans la fraîcheur ensoleillée du matin. Pourtant, tout n'était pas intéressant. Certains cours étaient assurés par des doctorants ou des enseignants débutants qui ne me satisfaisaient pas entièrement. Je me rappelle aujourd'hui un seul cours, un cours de grammaire qui m'a marqué à vie, car je me sers toujours de ce que j'ai appris à ce moment-là pour enseigner à mon tour la grammaire à mes propres étudiants. C'était un enseignement d'une intensité pédagogique assez rare, dispensé par un jeune linguiste alors assistant à l'université de Bordeaux. Il présentait une partie du contenu de sa thèse d'État qu'il venait de soutenir sur le système temporel du français contemporain. Nous étions nombreux au début. Mais l'approche rigoureusement théorique de la grammaire rebuta nombre de jeunes participants, lycéens pour la plupart venus de pays d'Europe. Très vite, les effectifs diminuèrent. Nous n'étions plus que quatre à la fin : Wolfgang, un étudiant allemand, Gertrude, une choriste allemande du célèbre *Münchner Bach-Ensemble* que dirigeait Karl Richter, M. Morisson, un vieux monsieur canadien et moi. Dans une des dernières séances de son enseignement, le professeur m'interrogea sous forme d'exercices sur un certain nombre de points de sa théorie. Je sus répondre conformément à son attente. Il me dit :

— Akira, vous n'imaginez pas à quel point vous me faites plaisir !

À travers les lunettes à monture noire, je crus apercevoir ses yeux légèrement mouillés. Après le cours, il me dit en aparté qu'il me donnerait un livre de grammaire comme souvenir du plaisir que j'avais su lui procurer. Il me le donna en effet la fois suivante, quand tout fut fini. C'était une vieille édition du *Bon Usage* de Grevisse.

— C'est mal expliqué, mais il y a *presque* tous les phénomènes dedans. Quand vous le consulterez, vous penserez à moi !

J'ai toujours ce vieux Grevisse sur mon bureau. Voici, sur la page de garde, le petit mot qu'il écrivit en guise de dédicace : « Au disciple et à l'ami de l'Empire du Soleil-Levant. Soleil du monde physique. Soleil de la connaissance. Très amicalement. J.-F. M. » Je ne l'ouvre guère, ce Grevisse offert, car depuis je me suis procuré trois éditions postérieures, revues et corrigées, du *Bon Usage.* Mais chaque fois que je me réfère à ce monument de grammaire normative, je pense irrésistiblement à ce jeune professeur passionné que je rencontrai à Montpellier pendant les quatre semaines de l'été 1974, aussi radieux que fugitif.

9

Le mois de septembre, parfois d'une acca-
blante chaleur, était vite passé. Un jour il y eut
un orage terrible. Une pluie diluvienne tomba
pendant deux heures. Le ciel zébré et les gron-
dements de tonnerre signalaient le changement
de saison. Le calme revenu, un majestueux arc-
en-ciel se dessina. C'était un spectacle grandiose
que je n'avais jamais vu dans les ruelles de Tokyo.
Je me rappelle que l'une des dernières scènes de
L'Or du Rhin — celle où Donner appelle l'orage
et où Froh, après l'apaisement du ciel, crée un
pont en arc-en-ciel pour préparer l'entrée des
dieux dans leur château Walhalla nouvellement
construit — me vint à l'esprit à ce moment-là.
L'automne s'installa dès lors dans une lumière
moins violente qui accueillait le refroidissement
graduel de la nature, le jaunissement et le rou-
geoiement progressifs des feuilles de vigne.

La vie avait repris à l'université. Un jour, je
revis par hasard la jeune fille au foulard rose,
devant le restaurant universitaire *Vert-Bois* qui se

trouvait tout près de la faculté. Elle habitait la cité universitaire qui portait le même nom que le restaurant. Je lui demandai si elle était étudiante. Elle me répondit qu'elle était angliciste, qu'elle avait passé plusieurs années en Angleterre et qu'elle était désormais en doctorat, mais sans penser vraiment à s'engager dans l'élaboration d'une thèse. Je lui dis :

— Tu n'aimerais pas venir chez moi un de ces jours pour prendre du thé japonais ? J'habite à *La Colombière*. Je serais content de te faire goûter le thé que je viens de recevoir de ma mère. Je sais que le thé anglais est excellent, mais le thé vert japonais n'est pas mal non plus. Il est plus désaltérant, me semble-t-il...

La jeune fille au foulard rose me sourit sans rien dire... Un ami, un esthète solitaire d'une quarantaine d'années qui partageait avec moi des goûts musicaux, m'a signalé plus tard que ma *façon de courtiser une jeune fille* en lui proposant de venir prendre du thé japonais pourrait être une variante intéressante de : « Tu veux venir voir mes estampes japonaises ? » Quoi ? Mes estampes japonaises ? Je n'en ai pas... Drôle d'idée. J'étais alors loin d'imaginer qu'il s'agissait là d'une expression figée et qu'elle était une invite à peine déguisée. J'étais honteusement ignorant de tout le continent érotique des estampes et de la connotation indissociable de cet art japonais, bien perceptible en effet, par exemple, dans *Le Fantôme* de Brassens. Nulle intention, donc, de draguer la jeune fille au foulard rose. Frappé par son sourire prévenant et sa calme beauté, j'avais envie de mieux la connaître. Mais je ne savais pas comment lui dire cette envie. Le thé qui venait d'arriver a parlé pour moi. C'est tout. Je n'ai pas remplacé les estampes par le thé vert, je vous le jure. La jeune fille au foulard rose eut-elle un doute sur mon thé vert ? Dans le silence qui suivit ma proposition au demeurant insolite, elle se demandait peut-être ce qui me passait par la tête...

Quelques jours après cependant, elle était là, chez moi. Elle ne portait pas le foulard rose. Mais elle avait autour du cou une écharpe orange pâle, très légère. Elle était en tailleur-pantalon marron foncé d'une élégance classique qui lui donnait une certaine noblesse. Nous prîmes du thé vert. Je lui expliquai que c'était du *genmaï-cha*, du thé mélangé avec des grains de riz complet et que le goût un peu lourd et l'étrange parfum venaient de ce mélange. Elle me répondit que c'était une découverte pour elle qui était une inconditionnelle du *Prince of Wales*. Nous eûmes alors une longue conversation sur nous, sur nos études, sur l'Angleterre, sur le Japon, sur nos familles respectives, sur la peinture, sur la musique, sur d'autres sujets encore... Elle était assise sur le bord de mon lit. Mes yeux ne pouvaient pas se fixer ailleurs que sur son visage qui s'illuminait de sourires. Mes oreilles entendaient, au-delà de la voix résonnante de mon invitée, le *Concerto pour violon et orchestre* de Brahms diffusé sur France Musique à ce moment-là, je m'en souviens. Le deuxième mouvement s'achevait tout doucement, lorsque je remplis maladroitement sa tasse une seconde fois, sur cette longue note aiguë d'une extrême délicatesse jouée par le soliste et se détachant nettement du volume orchestral en *pianissimo*... Nous continuâmes à causer de tout et de rien en buvant du *genmaïcha*. Quand les dernières notes du *Concerto* eurent retenti, je coupai la radio et je mis en marche, avec son accord, mon enregistrement des *Noces de Figaro*. Le hasard voulut que Chérubin chantât « *Voi che sapete...* » et que nous entendissions dans toute sa continuité le passage où Suzanne déshabille le petit page pour l'habiller en jeune fille et où l'amour de Chérubin se traduit par le ruban taché de sang qui a gagné une vertu guérisseuse en nouant les cheveux et en touchant la peau de la personne aimée. Le vacillement des identités... sociales et sexuelles. La voix de Suzanne toute troublée par la beauté *féminine* de Chérubin (celui-ci est un adolescent joué par une femme ; et, sur scène, c'est cette femme qui d'adolescent redevient femme). L'ébranlement à peine dissimulé de la comtesse face à l'aveu indirect du jeune homme qui, lui, se morfond devant l'impossibilité d'atteindre la dame. Le moment d'un vertige, le frémissement du désir...

Nous passâmes ainsi quelques moments d'une délicieuse complicité autour d'une tasse de thé vert. En moi, des mots d'amour étaient sur le point de naître, non pas dans ma langue mais dans sa langue à elle que je m'efforçais de faire *mienne*, et que j'avais le plaisir de voir s'accroître et se développer de jour en jour.

Un jour de novembre, j'allai en ville en moby-lette acheter un bouquet de fleurs pour la jeune fille en tailleur-pantalon marron foncé. C'était un samedi après-midi un peu gris. J'étais pressé. J'ac-célérais. Brusquement, une voiture sortit d'une rue perpendiculaire. Je la percutai de plein fouet; je volai; je me retrouvai sur le trottoir, de l'autre côté de la route. Je vis un attroupement d'hommes autour de moi et je m'évanouis.

Je me réveillai. J'étais dans un hôpital. Un homme d'une quarantaine d'années procédait à la radiographie de tout mon corps. Mais il sem-blait distrait. Son attention était détournée par un match de football bruyamment retransmis par la radio. Le médecin de garde qui regarda les radios se mit en colère :

— Il sait très bien que ça ne vaut rien, ces radios !

Je fus reconduit au service de radiographie et il fallut tout recommencer. Le médecin examina les radios refaites. Il n'y voyait rien d'anormal. Je fus relâché. Mais, perclus de douleurs (une sorte de courbature généralisée), je pouvais à peine marcher. De plus, mes chaussures étaient fichues. Ça ne m'aidait pas à me tenir debout, ni à avancer d'un bon pas. J'eus l'idée d'aller chercher de l'aide auprès de celle pour qui j'étais parti à la recherche d'un beau bouquet de fleurs. Je n'avais pas les fleurs. Je n'avais que mon corps lourd à traîner. Je me mis à marcher péniblement en direction de la cité universitaire *Vert-Bois*. Il me fallut plus d'une heure pour faire le kilomètre qui m'en séparait. J'arrivai chez elle, épuisé. Je frappai à sa porte. La porte s'ouvrit. Je m'effondrai comme un bâton qui tombe. Au lieu de recevoir des fleurs, elle récupéra un corps raidi de douleurs.

Le lendemain matin, je me réveillai tôt. J'étais chez moi. Quelques instants après, on frappa à la porte. C'était Michèle, c'était la jeune fille au foulard rose, la jeune fille en tailleur-pantalon marron foncé. Elle me dit qu'elle avait demandé à une amie motorisée de me ramener chez moi.

— Comme tu dormais profondément, je t'ai laissé et je suis rentrée chez moi. Mais me voilà pour te dire bonjour. Comment tu te sens ?

Et elle resta auprès de moi toute la journée.

C'était le début d'une longue histoire qui a croisé et mêlé nos vies, nos destins, nos joies, nos peines, nos fêtes, nos défaites et encore tant d'autres événements et non-événements qui constituent le tissu tantôt serré tantôt lâche de nos existences fusionnées.

10

Pendant les longs mois d'été 1974, je travaillai donc au mémoire que je devais remettre, à peu près un an et demi plus tard, à mon université d'origine. Mon choix, en ce qui concerne l'auteur à traiter, était fait dès avant mon arrivée en France ; ce choix s'était raffermi sous le choc de la lecture *symptomale* que je venais de découvrir avec Jacques Proust. Il était donc temps de reprendre contact avec les textes de Rousseau mis un peu à l'écart au profit de l'enseignement au CFP ; mais aussi le moment était venu de m'initier pour de bon aux grands textes critiques pour apprendre à parler, par une sorte de mimétisme naturel, à un texte littéraire ; autrement dit, apprendre la manière de l'aborder et de le questionner, permettant de construire un discours d'accompagnement critique, comme un pianiste accompagnerait un chanteur abordant un lied schubertien. L'envie était très forte de connaître les grands critiques. Elle avait été singulièrement aiguillonnée par le maître de

Montpellier. Ainsi, de mi-juin à mi-septembre, parallèlement à la traversée que je tentais dans la forêt rousseauiste, je dévorai des livres de critique littéraire dont on disait qu'ils étaient indispensables. Je lus ainsi *Le Degré zéro de l'écriture*, *Éléments de sémiologie*, certains articles d'*Essais critiques* de Roland Barthes, certains chapitres d'*Études sur le temps humain* et de *Métamorphoses du cercle* de Georges Poulet, *Littérature et sensation* de Jean-Pierre Richard, *Figures I* et *Figures II* de Gérard Genette. Ce fut enivrement et enchantement. Au-delà de toutes sortes de difficultés qui s'érigeaient devant un étranger novice, j'avais, à chaque lecture, le sentiment d'une *pénétration* profonde dans la langue de ces accompagnateurs exceptionnels — une sorte de Gerald Moore par rapport à Dietrich Fischer-Dieskau —, dans son corps et dans sa chair. Je me glissais dans la densité chaleureuse de cet espace luxuriant qu'offrait la langue déployée dans ces livres majestueux. Un paysage enchanteur m'apparaissait. J'en mesurais le volume et l'étendue, j'en épousais la forme arrondie, j'en examinais les coins et recoins et j'en scrutais les plis et replis, j'en éprouvais enfin avec tout mon corps échauffé la dynamique ordonnée, la scansion expressive, le frémissement subtil et exquis. Je pesais le poids des mots et des phrases ; je m'émerveillais de l'enchaînement rigoureux des unités textuelles de différentes dimensions. C'était une jouissance bien évidemment intellectuelle, mais en même temps profondément physique et sensuelle puisque j'avais l'impression de *toucher* les parties les plus sensibles des pages ouvertes, et que tout mon corps était engagé — la bouche comme appareil phonatoire, les mains et les bras qui suivaient dans leur gesticulation le mouvement logique et argumentatif du texte, les pieds et les jambes qui soutenaient dans leur déplacement tremblant le rythme des énoncés proférés et déclamés.

Je fus fasciné, par exemple, par la beauté de la prose de Jean-Pierre Richard dès le moment inaugural de la lecture de *Littérature et sensation*. Comment le mot *beauté* monte-t-il aux lèvres de celui qui lit un essai critique dont la teneur est fort intellectuelle et abstraite ? Cela doit venir de l'expérience grisante du sentiment d'adéquation entre les angoisses personnelles du lecteur et leur expression verbale proposée dans le texte. La littérature était considérée comme « une expression des choix, des obsessions et des problèmes qui se situent au cœur de l'existence personnelle », comme « un exercice d'appréhension et de genèse au cours duquel un écrivain tente à la fois de se saisir et de se construire ». J'avais envie de souligner tous les mots. Aucune définition de la littérature ne m'avait autant frappé que les denses lignes de la *Préface* qui me semblaient mettre en pleine lumière une vérité jusqu'alors ignorée : ce qui se joue dans la *littérature*, c'est bien la totalité d'une existence singulière, et il y va donc de la vie et de la mort de celui ou celle qui s'engage à corps perdu dans l'écriture et, peut-être, dans la lecture aussi, l'écriture et la lecture s'impliquant, s'invitant mutuellement.

Et si je regoûtais maintenant un admirable passage du chapitre consacré à Stendhal, « Connaissance et tendresse chez Stendhal », de *Littérature et sensation* ? Imagine-t-on le bonheur que j'éprouvai, quand je vis la place occupée par la musique dans l'univers stendhalien faire l'objet d'une définition, d'une explicitation si appropriée et si précise à l'aide de mots répondant harmonieusement à ma propre idée de la musique ?

La musique ne représente *en effet aucune réalité distincte ; Stendhal dit à maintes reprises qu'elle n'est que son émotion, incitation à la rêverie vague, ou rappel d'un bonheur passé. Mais l'émotion à laquelle elle se lie, la rêverie à laquelle elle invite ou le passé qu'elle rappelle se gardent bien eux-mêmes de se circonscrire trop nettement. La musique n'harmonise si bien l'échange amoureux que parce que l'amour a reconnu en elle une puissance indistincte d'expansion qui s'accorde admirablement à son propre goût de l'implicite. [...] La musique établit un contact, ouvre les âmes l'une à l'autre, les rend l'une à l'autre transparentes dans le flot d'une émotion commune. De l'amour, elle est moins l'interprète que l'introductrice :*

« Dans l'amour passion on parle souvent un lan-
gage qu'on n'entend pas soi-même : l'âme se rend
visible à l'âme, *indépendamment des paroles employées.*
Je soupçonnerais qu'il y a un effet semblable dans le
chant. »

Les mots pour dire mon amour de la musique,
mon amour du chant musical apte à rapprocher
les cœurs aimants qui se contemplent dans une
profusion de sentiments partagés, étaient bien
là. Au point de départ de l'histoire personnelle
de mon enracinement dans la langue française
se trouvaient inextricablement liés, vous vous
en souvenez, mon éveil à cette langue et ma
passion pour la musique mozartienne. Cette
alliance heureuse entre le français et la musique,
bien loin de se défaire, se renforçait, se raffer-
missait davantage au contact des pages littéraires proprement musicales d'un Richard ou
d'un Poulet. La musique m'accompagnera toujours, me disais-je, tant que je ne sortirai pas de
cette langue, tant que je ne cesserai pas de res-
pirer dans cette langue et par cette langue.
C'était là une certitude. Le français était un instrument de musique — et il l'est toujours —
que j'essayais de faire chanter et résonner au
gré de mes émotions quotidiennes.

J'étais comblé de la beauté de certaines pages
de Jean-Pierre Richard goulûment lues et sen-
suellement récitées. Au cours de cette lecture,

j'eus une sorte d'illumination, une révélation, le sentiment d'une évidence qui s'imposait : je sentis que j'avais fait un bond en avant dans l'appropriation de la langue que j'étudiais. Je hissais très haut l'auteur de *Littérature et sensation*. Je lui vouais une admiration sans borne. Pourtant, je ne m'acheminai pas vers ce grand livre qu'est *L'Univers imaginaire de Mallarmé*. J'avais un autre amour qui me retenait.

11

Oui, le français est un instrument de musique pour moi. C'est le sentiment que j'ai depuis longtemps, depuis, tout compte fait, le début de mon apprentissage. Pour devenir un bon instrumentiste, il faut de la discipline, je dirais même le sens de l'ascèse. Et c'est ce que je dis à mes étudiants aujourd'hui : maîtriser le français, c'est *en jouer* comme jouer du violon ou du piano. Chez un bon musicien, l'instrument fait partie de son corps. Eh bien, le français doit faire partie de son corps chez un locuteur qui choisit de s'exprimer en français. En musique, il y a tous les niveaux, du niveau débutant au professionnel en passant par le niveau amateur. C'est pareil en langues. Le niveau professionnel ne s'acquiert pas en deux ou trois ans. Il faut des années de travail et toute une vie pour l'entretenir... Vous aimez le français. D'accord. Mais qu'est-ce que ça veut dire pour vous, « aimer le français » ? Êtes-vous prêts à faire du français comme pour devenir un vrai musicien ? Pourquoi ces questions ? Parce que je suis moi-même comme un musicien qui s'entraîne tous les jours. La différence entre un musicien et moi, c'est que je suis un instrumentiste sans public. Personne ne s'intéresse à mon jeu, je n'ai pas de répertoire, je n'ai aucun morceau célèbre à jouer devant un auditoire. Ma performance n'est pas une marchandise. Je joue pour moi seul et c'est bien ainsi.

Si l'instrument de musique est celui par lequel arrive de la musique, sans doute la langue-instrument aussi peut-elle servir de médiation musicale. La langue française peut-elle faire venir de la musique ? En porte-t-elle au sein d'elle-même ?

Dans toutes les langues du monde sans doute résonne de la musique ; des tremblements d'émotions se font entendre en elles à travers les mots prononcés dans l'infinie variation des inflexions vocales. La vie où s'entremêlent les sons de la nuit, les silences du jour et tous les bruissements du cœur comme du monde sensible est un gigantesque réservoir de musique. Alors, la langue, la plus fidèle et la plus profonde compagne de la vie, ne peut être elle-même autre chose que de la musique. Seulement, d'une langue à l'autre, la musique ne s'élève pas de la même manière. Chaque langue a ses lieux propres, ses situations singulières pour faire vibrer sa musique.

Le japonais est une langue fort musicale. En deçà ou au-delà de l'art poétique ou dramatique qui opère une prodigieuse intensification musicale, les paroles sont empreintes d'un chant particulier jusque dans les zones les plus obscures de la vie quotidienne. Enfant, j'entendais, dans les grandes gares comme Tokyo ou Uéno, à l'arrivée d'un train « grandes lignes », le nom de la gare dit par une voix masculine d'une manière si particulière et si éloignée de l'énonciation habituelle qu'il résonnait véritablement comme un fragment musical : *U~éno~~~, u~éno~~~, shu~ten, u~éno~~~*... En hiver, des marchands de *yakiimo* (patates douces cuites dans des petits cailloux brûlants) circulent en camionnette (autrefois, c'était en charrette) en signalant leur passage sur une ligne mélodique immédiatement reconnaissable : *yakiimo~~, yakiimo~~, i~~shiyakiimo, yakiimo~~ ; oimo, oimo, i~~shiyakiimo, yakiimo~~*... Et dans tout cela, comment ne pas le souligner, il y a, ou il y avait quelque chose de profondément mélancolique dont on retrouve l'équivalent renforcé dans les chants populaires traditionnels... Je me souviens. J'avais trois ou quatre ans. Ma mère me chantait souvent, comme toutes les mères, une berceuse ancienne très connue et je pleurais. Je me souviens encore de la tristesse indéfinissable qui m'envahissait au son de la voix de ma mère... Elle est gravée au fond de mon cœur en caractères indéfectibles. Bien des années après, lorsque j'étais sorti de ma petite enfance, ma mère m'affirma que je n'inventais rien, que mes sanglots d'enfant avaient été bien réels. Elle m'avoua même qu'elle avait été émue à son tour par mon chagrin, par cette douleur que j'avais ressentie à ses côtés, blotti dans sa berceuse. Cette tristesse douloureuse mais calme et sereine est un des plus lointains souvenirs de toute mon existence. Il est d'ordre musical, un peu comme chez Rousseau qui cherche à saisir le « charme attendrissant » de la vieille chanson qu'il avait entendu chanter par sa « pauvre tante Suson » durant les premières années de son enfance genevoise.

Les langues que je ne parle pas du tout ou que je parle fort mal comme l'anglais, l'allemand, l'italien ou le chinois me semblent tout aussi musicales car, ne pouvant m'attacher au sens, je focalise toute mon attention sur les sons qu'elles produisent. Ce qui accentue dans ma perception auditive le caractère musical de ces langues que je ne possède pas, c'est le rythme créé par les accents d'intensité et d'insistance, les tons et les allongements syllabiques parfois à peine sensibles. Une fois, à Piacenza en Italie, j'étais chez une amie, une vieille dame qui avait fait venir une joyeuse compagnie de voisins et de voisines. Je fus ce jour-là le témoin heureux et émerveillé d'une extraordinaire scène opératique quasi mozartienne où s'échangeaient des paroles vives en *recitativo secco*.

La musique de la langue française ne se présente pas sous le même jour. Dans une mesure assez considérable, je le répète encore, l'apprentissage du français fut, en ce qui me concerne, un processus d'appropriation et d'incorporation de phrases et de textes le plus souvent littéraires à partir d'exercices d'écoute et de récitation imitative. Il me semble que j'éprouvais un plaisir proprement musical, en m'abandonnant aux rythmes et aux mouvements ascendants ou descendants des phrases qui se déployaient dans ces pages. Habitué à l'exemple de la musique qui proposait des notions comme *thème*, *reprise*, ou *variation*, j'étais devenu peu à peu sensible aux phénomènes de « retour du même » dans les lignes que je lisais et relisais à haute voix avec ou sans modèle.

Le voilà donc assis au clavecin ; les jambes fléchies, la tête élevée vers le plafond où l'on eût dit qu'il voyait une partition notée, chantant, préludant, exécutant une pièce d'Alberti, ou de Galuppi, je ne sais lequel des deux. Sa voix allait comme le vent, et ses doigts voltigeaient sur les touches ; tantôt laissant le dessus, pour prendre la basse ; tantôt quittant la partie d'accompagnement, pour revenir au-dessus. Les passions se succédaient sur son visage. On y distinguait la tendresse, la colère, le plaisir, la douleur. On sentait les piano, *les* forte. *Et je suis sûr qu'un plus habile que moi aurait reconnu le morceau, au mouvement, au caractère, à ses mines et à quelques traits de chant qui*

lui échappaient par intervalles. Mais ce qu'il y avait
de bizarre, c'est que de temps en temps, il tâtonnait;
se reprenait, comme s'il eût manqué et se dépitait de
n'avoir plus la pièce dans les doigts.

Lorsque je m'entendais par exemple en train
de lire la prose des *Rêveries du promeneur solitaire*
ou lorsque je recopiais une page du *Neveu de
Rameau* comme celle-ci où il est par hasard
question de musique, dans le silence respec-
tueux et complice de mon crayon à papier qui
glissait sur mon cahier, je m'abandonnais sans
nul doute à un plaisir que je n'hésiterai pas
aujourd'hui à qualifier de « musical ».

Ce qui crée le sentiment d'être touché par
des effets d'ordre musical, ce n'est sans doute
pas la langue elle-même qui, sous cet angle,
n'est qu'un ensemble de virtualités grammaticales; c'est une certaine manière d'organiser
des sons et des rythmes, des intensités, des
durées et des silences, qui est à l'origine d'une
certaine musicalité de la production verbale.
Plongé dans un livre, pourquoi aimé-je tant
répéter des mots qui sonnent, des phrases qui
coulent, des paragraphes ou des ensembles textuels plus larges qui me paraissent fort bien
taillés, bien construits? D'où vient ce plaisir? De
la page que je suis en train de lire, assurément;
mais il vient aussi du passé, de la vibration d'un
passé lointain, des profondeurs ténébreuses mais
sonores de la mémoire, bref de tout l'univers

résonnant de ma petite enfance. Je cherche peut-être, dans la réalisation phonique des mots et des phrases chéris, des traces de souvenirs liés à l'écoute musicale de mon enfance non musicienne. Non, je devrais dire plutôt : ces souvenirs *se cherchent* en moi : les prolongements retentissants de cette écoute musicale qui se faisait alors à mon insu en compagnie de mon frère musicien jouant sous le regard bienveillant de mon père. Celui-ci, sans le savoir, me guidait simultanément vers une autre musique : celle de la profusion auditive de la langue française. Cette musique, en effet, me semble se confondre dans le corridor le plus reculé de l'obscur labyrinthe de ma mémoire avec celle qui émanait de la fusion musicale de mon père avec son fils aîné.

Ma langue *paternelle* est ainsi devenue un vrai instrument de musique comme le violon l'était pour mon frère.

12

À ce point de mon récit, vous vous demandez peut-être si je dis vrai, si je suis vraiment sincère. Car j'ai l'air d'insinuer que j'avançais allègrement dans la voie de l'apprentissage du français et que je franchissais sans peine les obstacles qui se présentaient devant moi... Non, franchement, si je vous donne cette impression, c'est bien malgré moi ; ce n'est pas du tout ce que je veux dire. Car tout ne s'apprend pas, tout ne se maîtrise pas dans une langue, même dans notre langue maternelle. Une langue étrangère, à plus forte raison, vous restera extérieure, dans une mesure certes variable, mais fatalement irréductible. Évidence irréfragable : nous n'occupons que de petits recoins dans ces immenses demeures que sont nos langues. Ce que je dis ou écris n'est qu'une certaine façon, maladroite ou inappropriée quelquefois, d'activer la langue. Bref, il y a des choses qui résistent à l'apprentissage.

Loin de mon pays, je bénéficiais du bonheur d'être à l'écoute de la profusion de paroles prononcées par les Français que je croisais ou côtoyais ; et assez vite, j'observai qu'ils faisaient un grand usage d'expressions *appellatives*. J'avais fait suffisamment d'exercices de version pour savoir que celles-ci posaient problème lorsqu'il s'agissait de les transposer dans la langue japonaise comme, par exemple, dans cette phrase toute simple de Stendhal extraite d'*Armance* : « Ah ! que je vous plains, *mon cher cousin* ! vous me navrez, dit Mme de Bonnivet d'un ton qui décelait le plus vif plaisir, vous êtes précisément ce que nous appelons *l'être rebelle*. » Ou encore cette chanson de Moustaki *La Ligne droite* qu'il chante en duo avec Barbara : « Et toi, *mon bel amour*, dis-moi s'il y a des hommes qui t'ont rendu la vie un peu moins monotone ? — Oh, *mon cher amour*, bien sûr j'ai eu des hommes... » Mais je ne m'étais pas réellement rendu compte de leurs fréquentes apparitions dans la réalité vivante du registre oral. Des appellatifs, les conversations quotidiennes en sont pleines ! « Tu as raison, *ma grande*, tu as raison » ; « Quoi, qu'est-ce que tu dis, *mon poussin* ? » ; « Ne te fâche pas, *ma poule* » ; « Allons, allons, *mon vieux* »... Et, à présent, tous les jours, j'entends mon épouse dire au téléphone à ma fille qui est à Paris : « Tu es trop fatiguée maintenant. Il faut que tu ailles au lit, *ma bibiche*. Ne t'inquiète pas, je te téléphonerai pour te réveiller. À quelle heure tu veux que je t'appelle, *ma grande* ? » En fait, en matière d'expressions appellatives, nous avions appris dans une de nos toutes premières leçons de français : « Bonjour, *monsieur*. Bonjour, *madame*. »

À Paris ou ailleurs en France, j'arrive à dire par exemple à ma boulangère sans être inquiété : « Bonjour, *madame*. Je voudrais une baguette et deux croissants au beurre. » Quand je reçois un appel téléphonique de la part d'un vieil ami, j'arrive à dire également sans être gêné : « Ah, bonjour, *Daniel* ! Comment ça va ? » En revanche, ce qui n'arrive pas à sortir de ma bouche, ce sont justement des phrases comme celles de mon épouse que je viens de citer et qui sont prononcées par elle aussi naturellement et aussi spontanément que possible : « Veux-tu un peu de vin, *ma chérie* ? » « Ne t'inquiète pas, *ma grande*, je t'aiderai. » Avec ma propre fille, avec qui il m'arrive maintenant de converser en français, je n'ai jamais utilisé, jamais pu utiliser ces formules additives. Ce sont là, diraient les linguistes sourcilleux, des appellatifs à valeur affective ou hypocoristique. Ce n'est ni un obstacle phonatoire quelconque ni la difficulté liée à des traits syntaxiques particuliers qui m'empêchent de procéder à ce type d'insertions. Je dirai qu'en dessous de la surface de la langue, quelque chose qui relève de la pudeur ou même de la peur me retient.

Est-ce à dire que dans la langue française se trouve inscrite une façon toute dialogique de créer des liens et que celle-ci, au même titre que les opérations de calcul mental, constitue la couche la plus profonde de la langue dont la sédimentation est presque contemporaine de la formation de l'être parlant ? Inversement, dans la langue japonaise, peut-être existe-t-il tout un mécanisme d'évitement de la confrontation dialogique où le *je* et le *tu* s'engagent dans un rapport de permutation constante à travers l'échange de regards. Le pronom personnel *je* ne s'affirme pas en tant qu'invariant transcendant toute situation particulière : en endossant plusieurs formes différentes en fonction de la figure de l'interlocuteur (position sociale, sexe, etc.) et de la situation d'énonciation, le *je* japonais apparaît comme un être multiforme, une succession d'êtres ou comme une sorte de *joker* qui n'a pas de valeur intrinsèque. Dans les relations conjugales ou dans les rapports qu'entretient un père avec son enfant, la symbiose affective supposée exclut l'utilisation duelle des pronoms *je/tu* qui paraît destructrice de la relation fusionnelle. D'où, sans doute, l'absence d'expressions appellatives et hypocoristiques...

Je pense à certaines scènes du cinéma japonais. Dans *Printemps précoce* ou *Début d'été* de Yasujiro Ozu par exemple, on voit souvent deux personnages non pas l'un en face de l'autre, mais l'un à côté de l'autre, de telle façon que leurs regards ne se croisent pas alors qu'ils sont dans une situation d'interlocution. Dans un temple zen, deux hommes assis sur le bord du large couloir ouvert dans toute sa longueur et donnant en plongée sur le vaste jardin de pierres : ils échangent quelques paroles insignifiantes, tout en regardant le spectacle du vide offert devant eux... Un homme et une femme côte à côte, sur le quai d'une gare en banlieue tokyoïte, dans l'attente de l'arrivée d'un train : ils regardent le ciel et s'adressent des banalités sur la pluie et le beau temps...

De la relation fusionnelle où l'individu a du mal à se constituer en sujet autonome à la confrontation dialogique, il y a un monde. Apprendre le français, s'installer et demeurer dans cette langue, y accéder à la parole, c'est faire l'expérience à la fois grisante et périlleuse de ce passage. Et sans doute faut-il penser qu'entravé par le noyau dur de ce que je suis *d'abord* en tant qu'être parlant japonais, je ne parviens pas à aller jusqu'au bout de ce passage... Mon incapacité à placer des appellatifs en est la preuve certaine.

13

Mon inconfort dans les situations qui motiveraient et solliciteraient l'intervention d'un appellatif m'en rappelle un autre que j'ai éprouvé dès le commencement de ma vie en France et dont je n'ai jamais pu entièrement me débarrasser. C'est celui qui me gagne parfois, lorsque je me trouve porté à employer des mots français aussi simples et aussi universellement connus que « bonjour » ou « merci », des mots donc on ne peut plus banals et que même ceux qui ne savent pas un mot de français prononcent pour des besoins de civilité ou de communication minimale.

On croit que « bonjour » et « merci » relèvent d'un vocabulaire universel accompagnant les gestes fondamentaux de salutation et de gratitude. On se trompe, car ces mots d'apparence simple sont en réalité d'un maniement subtil pour ceux qui sont venus d'ailleurs, en ce sens qu'il est profondément lié à la manière particulière d'être avec autrui qu'implique la langue française. « Bonjour » comme « merci » présupposent un *être-ensemble* fort différent de celui qui se trouve inscrit dans la langue japonaise. Je me suis vite aperçu qu'on ne pouvait pas dire en France « bonjour » et « merci » comme on dirait au Japon « *konnichiwa* » (ou « *ohayôgozaimasu* ») et « *arigatô* ».

Dans les boulangeries, les bureaux de tabac ou dans d'autres petits commerces, je fus frappé par le fait que des hommes (et, moins souvent, des femmes) entraient dans la boutique en disant à la cantonade : « Bonjour, messieurs-dames », ou tout simplement « bonjour », ou encore succinctement : « Messieurs-dames ». Saluer des personnes inconnues ? Eh oui, cela est fréquent en France ; il suffit de se promener dans les rues de Paris ou de prendre le métro, d'être attentif aux spectacles qui s'offrent çà et là dans les lieux publics. Tandis que dans mon pays, un tel geste, potentiellement créateur de liens, serait perçu comme une violence inacceptable ou tout au moins comme une incongruité suspecte. La vie sociale s'organise de telle manière qu'un individu (pas un groupe constitué comme militants politiques ou syndicalistes...) n'ait pas à s'adresser, autant que faire se peut, à un inconnu, c'est-à-dire à quelqu'un qui n'appartient pas aux mêmes groupes communautaires que lui. Les inconnus sont par définition suspects. Le 3 février, les Japonais fêtent le premier jour de printemps avec le cri de « Dehors les ogres, bonheur dans la maison ! » ; le geste qui accompagne ce cri, celui de la lapidation, consiste à jeter des graines de soja sur les ogres évoluant dans le monde extérieur. Le dedans est béni ; le dehors est peuplé d'étrangers dangereux ou malveillants en puissance. D'où la tendance au conformisme, au désir de ne pas troubler la paix du groupe. D'où aussi, inversement, la difficulté d'entrer en contact avec autrui hors de son groupe d'appartenance.

En France, je n'ai jamais pu dire en entrant dans ma boulangerie : « Bonjour, messieurs-dames. »

À Tokyo, il y a des petits supermarchés ouverts 24 heures sur 24. Je ne les fréquente pas trop, mais quelquefois je me rends dans celui qui se trouve à trois pas de chez moi pour faire des achats d'urgence. Devant l'une des deux caisses, je fais la queue ; les clients passent, mon tour approche. Les caissiers ou les caissières leur disent : « *Arigatôgozaimasu* » (merci beaucoup), mais je n'entends presque jamais rien de la part des clients à qui s'adressent ces remerciements. Si les consommateurs ouvrent la bouche, c'est souvent pour tenir des propos soulignant effrontément leur supériorité (« le client est roi ») ou d'une arrogance à mes oreilles intolérable. Quant à moi, sous l'effet des interférences linguistiques, je suis enclin à multiplier mes formules de remerciement, ce qui déconcerte, je le sais, les commerçants. Je suis conscient de cet excès. Et, en France, je suis tout aussi conscient de mon effort qui consiste à faire en sorte que mes mots et mes silences soient placés là où ils doivent l'être... ni en excès ni en défaut... Bref, même pour dire ces petits mots basiques, mon esprit n'est jamais complètement en repos.

Il me semble que la langue japonaise, par la pauvreté en moyens destinés à amorcer des liens, ne m'encourage guère à aller au-delà du seuil des relations fondées sur la sociabilité du type intracommunautaire. Elle lie les individus qui s'ignorent dans une attitude d'extrême politesse, de courtoisie d'un raffinement suprême ou, à l'inverse, dans celle d'une incivilité agressive qui fait rougir. D'où cette difficulté chez moi à adresser la parole à autrui, à nouer et tisser des liens avec l'inconnu, avec l'autre, difficulté que je transporte avec moi et malgré moi dans ma pratique langagière en français... Tout en parlant en français, je conserve en moi, comme une cicatrice ineffaçable, l'écho et l'empreinte de l'*être-ensemble* japonais.

Je viens d'un pays et surtout d'une langue où, pour établir des relations avec une personne considérée comme habitant un monde qui n'est pas le vôtre, on s'excuse sans cesse, on demande pardon à tout bout de champ, comme si on devait avant toute chose tempérer la violence inhérente à un tel geste d'amorce relationnelle. Les formules d'excuse remplacent presque celles de remerciement. Les demandes d'amour ne s'énoncent pas ; pour dire « Je vous aime » (qui veut dire : « Aimez-moi »), on se contente-rait de dire : « Ce soir la lune est belle. »

Vous avez vu *Dolls* (2002) de Takeshi Kitano ? Ce film d'amour bouleversant où la parole a si peu de place. Une scène, inoubliable, me revient à l'esprit : l'ancienne chanteuse idole, désormais retirée du monde du spectacle à la suite d'un accident de voiture qui l'a défigurée, est en compagnie du jeune admirateur amou-reux d'elle qui, lui, s'est crevé les yeux pour s'introduire auprès d'elle et être accepté par elle. « J'ai pensé, dit-il, qu'il valait mieux que je ne puisse pas voir... » Ils arrivent, en se tenant par la main, dans un magnifique jardin de roses. Ils sont l'un à côté de l'autre. Ils ne se parlent pas ; ils ne se regardent pas. Le seul œil qui voit, celui de la jeune fille, regarde le buisson de roses rouges, d'un rouge flamboyant. Alors, timidement, s'amorce un très bref échange de mots.

— Ça sent bon, dit le jeune homme aveugle, presque gêné.

— Les roses sont toutes épanouies.

— Vraiment ?

Tout l'amour se dit, dans la fulgurance de ces quelques secondes, à travers la confondante banalité de « vraiment » et des deux énoncés constatifs les plus simples qui soient.

Vous pouvez imaginer le sentiment qui ne me quitte pas lorsque je suis engagé dans une situation d'interlocution en français : la peur d'être en porte-à-faux.

14

On arrive à surmonter, vaille que vaille, les difficultés phonétiques. On arrive aussi, cahin-caha, à faire siennes les règles grammaticales et syntaxiques, malgré le fossé abyssal qui en sépare un locuteur étranger comme moi venant d'un autre et très lointain univers linguistique. Le système des temps en général, mais plus particulièrement la distinction benvenistienne entre l'énonciation historique et le discours, la place et la fonction de l'imparfait dans les temps du passé, ainsi que l'emploi des divers détermi-nants (articles surtout), ce sont autant d'en-traves à éliminer, de barrières à franchir. Mais les règles de fonctionnement sont conceptua-lisables et, par conséquent, maîtrisables en dernière analyse, même s'il persiste toujours quelques zones d'ombre... Les fautes d'ortho-graphe, de grammaire et de lexique (mots inap-propriés), on en fait bien sûr et on ne s'en débarrassera jamais. On restera donc toujours en compagnie de quelques dictionnaires bien choisis, comme si ceux-ci étaient les meilleurs amis du monde qui ne vous quittent jamais. Même les locuteurs natifs n'échappent pas à des inadéquations de toutes sortes. À plus forte raison, les étrangers. Seulement, fautes et maladresses ne sont pas localisées de la même manière. Je dois commettre des erreurs bien étranges pour mes amis francophones, tandis que les copies d'étudiants français me font parfois hérisser les cheveux.

Tout compte fait, le français m'apparaît comme un ensemble de contraintes horriblement rigides. Cioran parle de « camisole de force ». Oui, c'est un peu cela pour moi. Une camisole de force qui me prive singulièrement de liberté. Mais, justement, le plaisir éprouvé dans la recherche d'une liberté possible au sein même des limitations prescrites par la langue française est incommensurable. Dans l'art japonais, on parle souvent de moule (*kata*), *forme rigide* qui s'impose et que l'artiste ne peut pas faire autrement que d'épouser scrupuleusement pour s'y épanouir, pour y trouver paradoxalement une singulière liberté d'expression personnelle. Peut-être mon approche du français a-t-elle à mon insu quelque chose de l'art d'un acteur de *kabuki* ou de *nô*.

Ce qui résiste à l'effort, c'est finalement ce qui relève des échanges en action permanente, de ce que je suis tenté d'appeler les effets d'*inter-*

langue. Ce qui défie la volonté d'apprendre, ce n'est pas la langue en tant que systèmes codés, mais ses mille et une possibilités de mise en opération qui recouvrent le vaste champ des pratiques langagières allant des parlers populaires aux aventures stylistiques les plus élaborées. C'est la partie proprement culturelle de la vie des animaux parlants que nous sommes... J'imagine un robot qui s'est parfaitement approprié tout le code de la langue japonaise. Sans doute serait-il souvent décontenancé et désorienté en parlant avec moi. Il m'arrive quelquefois de perdre brusquement le fil de la conversation française qui se tisse autour d'une table réunissant de joyeux et éloquents convives. Les commensaux vont de dérision en dérision, s'adonnent à cœur joie à un humour persifleur si français, si hermétiquement français parfois... Je m'y égare, je perds pied alors que j'entends des mots auxquels mon oreille est parfaitement habituée...

15

De tous les ouvrages de critique littéraire lus cet été-là dans la certitude heureuse d'avoir enfin un coin à moi dans cette grande maison de la langue française et avec le désir constant d'éclairer et meubler ce coin personnel, celui qui me séduisit et me marqua le plus fut le livre magistral de Jean Starobinski : *Jean-Jacques Rousseau, la transparence et l'obstacle.* Je l'avais acheté à Tokyo, dans une grande librairie qui a un important rayon de livres étrangers. C'était au quatrième étage, je me souviens. Après les cours, je passais souvent dans cette librairie ; je montais directement au quatrième, qui était plus spacieux et où il n'y avait jamais foule. J'aimais regarder les livres français, stationner devant eux, en prendre quelques-uns pour les feuilleter. Je m'intéressais à l'œuvre de Rousseau pour les raisons déjà longuement exposées. Je savais que Jean Starobinski était une grande figure de la critique littéraire qu'on classait sous le label de la « nouvelle critique », à la suite de la célèbre polémique qui avait opposé Roland Barthes à Raymond Picard. Je savais aussi, grâce à une certaine familiarité que j'avais alors avec les *Œuvres complètes* de Rousseau en cours de publication dans la Bibliothèque de la Pléiade, qu'il occupait une place considérable dans les études rousseauistes. Je me souviens, avec une netteté intacte qui me surprend moi-même, du jour où j'achetai *La Transparence et l'obstacle* paru dans l'imposante Bibliothèque des idées de chez Gallimard (la collection « Tel » n'existait pas encore). Sur une étagère, à la hauteur de mes yeux, étaient classés et rangés quelques livres sur Rousseau. Le nom de Starobinski couplé avec les deux mots « transparence » et « obstacle » me fit signe ; il entra dans le champ de ma vision. Ma main s'avança, elle prit le livre qui exerçait sur moi une séduction instantanée par sa blancheur brillante. Je le retournai et lus avec une lenteur toute dégustative la quatrième de couverture dans laquelle je crus voir l'apparition d'un avenir qui m'était destiné :

L'œuvre de Rousseau commence par la dénonciation du mensonge de la société moderne. Rousseau arrache les masques : que voit-il ? Que l'être et le paraître ne coïncident pas ; que malgré les dehors de la politesse, les hommes sont en guerre les uns contre les autres ; qu'en se croyant libres, ils sont asservis à l'opinion, c'est-à-dire à l'image qu'ils offrent au regard

d'autrui ; la poursuite de la richesse et de la réputa-
tion parachève cette « aliénation ». Cette critique de
la culture, où se lit déjà clairement le discours de la
contestation actuelle, est un réquisitoire contre tout ce
qui nous condamne à être dans la séparation des
consciences. À la place, Jean-Jacques Rousseau sou-
haite voir s'instaurer la vie immédiate, la transparence.

Aussitôt, je me sentis concerné par ces lignes
qui présentaient l'architectonique essentielle
du livre : la *transparence* comme remède à la
séparation des consciences, au divorce de l'être
et du paraître. Là, je retrouvais, de façon inattendue, l'approche de l'existence humaine qui
m'avait fasciné dans le *Premier Discours*. Elle
m'avait fasciné parce qu'elle semblait constituer
une réponse profonde aux maux de langue qui
me faisaient souffrir. Sans hésitation, j'achetai
le livre. J'ai toujours cet exemplaire, aujourd'hui
jauni, sali et quelque peu abîmé, épaissi aussi
à cause d'innombrables petits papiers insérés,
exemplaire-trace, exemplaire-témoin dont certaines pages sont massivement et, parfois, dou-
blement soulignées. Sur la page de garde du
début du volume, tout à fait en haut, le prix est
indiqué : 3190 yens, tandis que sur la page de
garde de la fin du volume, je vois la date d'acquisition et mon nom écrits au crayon à papier :
samedi 25 novembre 1972, Akira Mizubayashi.
L'écriture petite, fine et soignée venant d'un

passé lointain me semble être celle d'un autre.
Le prix fort élevé de *La Transparence et l'obstacle*
pour un étudiant ne me découragea pas. J'avais
chaque mois 10000 yens d'argent de poche
pour les menues dépenses de la vie quotidienne.
Pour les livres, je disposais d'un budget illimité,
si j'ose dire. Mon père me disait :

— Aucune marchandise n'est meilleur mar-
ché qu'un livre, à condition qu'on le lise. Tu
achèteras autant de livres que tu voudras, si tu
en as besoin et si tu les lis. Rien de plus cher,
par contre, qu'un livre, si on ne le lit pas puisqu'on ne peut même pas s'en servir comme
papier hygiénique.

Pour un livre qui me paraissait aussi important — je pressentais que ces quatre cent cinquante pages m'appelaient et qu'un chemin à
suivre allait se tracer devant moi, il était hors de
question que je ne me le procurasse pas. J'étais
conscient, toutefois, de son prix rédhibitoire —
trente ans après, alors que les salaires ont considérablement augmenté, j'éprouve une certaine
gêne à recommander à mes étudiants l'achat
d'un livre de 3000 yens, soit 25 euros environ. Il
est vrai que le coût devenu exorbitant des études
et les dégâts sociaux liés à la mondialisa-
tion néolibérale ont beaucoup fragilisé la vie
des étudiants et la vie en général... Mais tout de
même...

J'achetai donc *La Transparence et l'obstacle*.
J'étais en troisième année d'université et cela

faisait deux ans et six mois que j'apprenais le français. Je commençai à lire les premières pages de Starobinski tout de suite, mais la langue du critique genevois n'était pas de nature à être comprise aisément par un apprenti, même s'il était animé des meilleures volontés du monde et d'un désir d'apprendre enflammé. Je ne me rappelle pas très bien où j'en étais dans cette exploration laborieusement amorcée et patiemment poursuivie, au moment où je partis pour Montpellier. Cinquante pages déchiffrées ? Oui. Cent pages lues ? Ça m'étonnerait. Ce qui est sûr, c'est que je lus, durant l'été 1974, le livre majeur de Starobinski d'un bout à l'autre. C'est d'ailleurs ce qui est noté en japonais, sur la page de garde de la fin du volume, en dessous de la date d'acquisition : « Été 1974, fini de lire à Montpellier. » Une ligne plus bas est inscrite une autre note qui montre que j'ai lu le livre une deuxième fois l'été 1975.

En pénétrant pas à pas dans l'épaisseur des pages de *La Transparence et l'obstacle*, je fus d'abord frappé par la lecture que Starobinski faisait d'un souvenir d'enfance relaté dans le livre I des *Confessions* mis en corrélation avec le thème central du *Discours sur les sciences et les arts* qui porte précisément sur l'accusation de l'être humain dépravé parce qu'il est clivé en deux instances contradictoires : l'*être* et le *paraître*. Il s'agit de l'épisode, célèbre, du peigne cassé.

À la lecture du *Premier Discours*, j'avais obscurément pensé que la problématique essentielle de cet homme né au seuil de la modernité s'articulait autour de cette division intérieure qui met l'homme en conflit avec lui-même et avec autrui, et que cette problématique était encore très largement celle de notre temps et, surtout, la *mienne*. Mais je jugeais, par-devers moi, qu'il s'agissait là d'une thèse énoncée et énonçable dans une écriture théorique qui ne relevait d'aucune façon de l'art du récit, de la littérature à proprement parler. D'où mon étonnement émerveillé, lorsque je découvris, dans les premières pages de *La Transparence et l'obstacle*, le rapprochement effectué par Starobinski entre la prise de position critique du *Discours* et le souvenir d'un événement dramatiquement vécu mis en récit dans les *Confessions*. Voici comment le critique formule sa question pour s'interroger sur l'*émotion première* qui aurait provoqué le surgissement de l'antinomie thématique de l'être et du paraître :

La discordance de l'être et du paraître s'est-elle donc révélée à Rousseau au terme d'un acte d'attention critique ? Est-ce une calme comparaison qui a donné l'éveil à sa pensée ? Le lecteur pourrait être tenté d'en douter. Sachant combien le thème du paraître était devenu monnaie courante dans le vocabulaire intellectuel de l'époque, il hésitera à admettre que la réflexion de Rousseau y ait trouvé son point de départ authentique et son impulsion originelle. S'il était jamais possible de saisir cette pensée dans sa source et dans son origine, ne faudrait-il pas remonter à un niveau psychique plus profond, à la recherche d'une émotion première, d'une motivation plus intime ? Or nous y retrouverons le maléfice de l'apparence, non plus à titre de lieu commun rhétorique ou en qualité d'objet soumis à l'observation méthodique, mais sous les espèces de la dramaturgie intime.

Enfant, Jean-Jacques fut accusé d'avoir brisé le peigne de Mlle Lambercier, la sœur de son tuteur le pasteur Lambercier, alors qu'il avait la certitude absolue de son innocence. Tel est le cœur de l'événement que l'écrivain raconte cinquante ans plus tard. Et il termine son récit en soulignant la distance infinie qui séparait sa conscience d'innocent de la conviction inébranlable de ses accusateurs. Tout l'effort de l'écrivain consistera dès lors à retrouver l'unité perdue, l'unité originelle de l'enfance et de l'enfance du monde. C'est là son projet tout autant de vie que d'écriture.

J'avais jusqu'alors l'idée d'un Rousseau certes multiforme mais profondément divisé. Le penseur du *Contrat social* faisait partie intégrante de la bibliographie de la philosophie politique ou des sciences politiques à la faculté de droit ; l'auteur de l'*Émile* avait une place de choix dans l'histoire de la pensée éducative abordée dans les départements de sciences de l'éducation ;

l'écrivain de *La Nouvelle Héloïse* et des écrits intimes (*Confessions, Dialogues, Rêveries*) était bien évidemment une figure capitale dans l'histoire littéraire, pour ne rien dire du Rousseau musicien, compositeur du *Devin du village*, auteur du *Dictionnaire de musique* et de la *Lettre sur la musique française*. Mis à part quelques grandes exceptions, combien de professeurs de droit avaient-ils lu *La Nouvelle Héloïse* ou les *Rêveries du promeneur solitaire*? Combien d'étudiants et d'enseignants en littérature française se sentaient-ils vraiment concernés par la construction de la *res publica* énoncée dans le *Contrat social*? C'est précisément dans le contexte de cette *dispersion* de l'attention herméneutique qui était devenue au Japon une sorte d'impensé jamais remis en question que le chef-d'œuvre de Starobinski a fait son apparition devant moi. Une autre conception de la littérature était proposée : littérature comme déploiement constructif d'un monde imaginaire, littérature comme orchestration d'un ensemble de motifs qui concernent la totalité de la vie psychique et spirituelle d'un individu. Dès lors, l'effort du critique, au lieu de diviser l'activité mentale de l'écrivain en plusieurs zones étanches, résidait dans l'appréhension unifiante de cette pluralité même.

Entreprendre une traversée *unificatrice* de l'œuvre de Rousseau dans toute la diversité thématique et dans toute la variété des formes discursives, c'est là par conséquent le chemin que j'ai fait et refait sous bonne escorte. Il s'agissait d'examiner chaque livre d'abord dans sa singularité propre, mais il s'agissait, surtout, de les parcourir tous, en les scrutant, en les arpentant, comme s'ils formaient une seule œuvre gigantesque, comme s'ils constituaient un grand jardin où la réunion de tous les éléments détaillés engendrerait un paysage harmonieux. La littérature n'est plus alors considérée sous un aspect savant et doctrinal, ni bien évidemment dans sa fonction ornementale et divertissante, mais plutôt comme une *expérience* essentielle engageant tout l'être, toute l'énergie vitale d'un homme, ou, si l'on veut, comme une activité scripturaire infiniment sérieuse par laquelle se façonne toute l'existence de l'écrivain, par laquelle se crée, se construit, s'élabore tout un monde propre à l'individualité du sujet écrivant.

Me voici donc revenu à l'*Avant-propos* de *La Transparence et l'obstacle*. Je garderai longtemps en mémoire le moment d'éblouissement où la volonté d'accompagner l'œuvre de Rousseau m'est apparue dans toute sa détermination :

Aventurier, rêveur, philosophe, antiphilosophe, théoricien politique, musicien, persécuté : Jean-Jacques a été tout cela. Si diverse que soit cette œuvre, nous croyons qu'elle peut être parcourue et reconnue par un regard qui n'en refuserait aucun aspect : elle est assez riche pour nous suggérer elle-même les thèmes et les motifs qui nous permettront de la saisir à la fois dans la dispersion de ses tendances et dans l'unité de ses intentions. En lui prêtant naïvement notre attention, et sans trop nous hâter de condamner ou d'absoudre, nous rencontrerons des images, des désirs obsessionnels, des nostalgies, qui dominent la conduite de Jean-Jacques et orientent ses activités d'une façon à peu près permanente.

Au contact d'une telle page qui me touchait par le choix des mots aussi bien que par leur agencement dans une syntaxe dont je découvrais la beauté simple et l'efficacité maximale, la littérature était devenue pour moi, précisément par le biais de *la langue française*, un lieu et un espace particuliers où se recueillent, en un foisonnement luxuriant, des projets, des espoirs, des regrets, des secrets, des attentes, des déceptions, des joies, des chagrins, des audaces, des timidités, des penchants avoués et inavoués, bref tout ce qu'on peut sans doute assembler sous le terme de *désirs* qui tiennent et font tenir la vie.

En décembre 1975, je rentrai à Tokyo, mon mémoire de licence sous le bras : *Étude sur Jean-Jacques Rousseau : de la brisure de la conscience à la jouissance.* C'était un texte, relié à la française, d'une centaine de pages dactylographiées dont la rédaction m'avait donné une souffrance d'enfantement, mais en même temps un frémissement de plaisir que je n'avais jamais éprouvé jusqu'alors. Je m'autorisai la coquetterie de dédier ce premier travail écrit, une sorte d'acte de naissance à retardement, à deux personnes : d'une part à Arimasa Mori que je ne connaissais pas et que je ne connaîtrais jamais car il disparut quelques mois après mon retour à Tokyo, et d'autre part à Michèle à qui je devais ma *renaissance* au sens physique comme au sens moral.

Je ne voyais plus mon avenir que sous le signe de la langue française qui m'occupait et m'habitait et que j'occupais et habitais à mon tour. J'allais épouser une Française. Mais j'allais épouser aussi et surtout la langue française.

III

PARIS-TOKYO

1

La rédaction d'un mémoire est l'ultime étape des études universitaires de premier cycle au Japon. Je remis le mien en février 1976 à l'université nationale des langues et civilisations étrangères de Tokyo, et j'eus ma licence. Je ne pensai pas une seconde à chercher un emploi et à entrer ainsi dans la vie active. Je n'avais qu'une idée : poursuivre mes études en maîtrise et en doctorat pour avoir le maximum de chances d'entretenir un rapport sans cesse approfondi et perpétuellement renouvelé avec le français. Je me présentai donc au concours d'entrée à l'École doctorale de l'université de Tokyo. Je fus admis. Je suivis des cours en première année. En deuxième année, je me concentrai sur la rédaction d'un mémoire de maîtrise que je réalisai en donnant un développement assez considérable à mon mémoire précédent.

J'avais tiré peu de profit de l'enseignement dispensé à l'École doctorale japonaise ; dans les cours, les enseignants ne proposaient que d'ennuyeux exercices de version (dont le seul objectif résidait dans le contrôle des contresens), ce qui était compréhensible aussi vu notre niveau encore loin d'une bonne maîtrise de la langue et, surtout, de la langue littéraire. Quelle différence par rapport à ce que j'avais connu à Montpellier auprès de Jacques Proust, auprès aussi de certains enseignants passionnés du CFP, ou même, en l'espace seulement de quatre semaines, auprès de ce jeune grammairien assistant à Bordeaux ! Aujourd'hui, deux cours seulement me restent encore en mémoire : d'abord, celui de Moriaki Watanabe où celui-ci nous expliquait les *Cinq Grandes Odes* de Claudel, en commençant chaque séance par une impressionnante récitation du texte ; parmi les enseignants japonais rencontrés jusqu'ici, Moriaki Watanabe est le seul qui, par son goût et son talent pour la déclamation théâtrale, donnait une grande importance à la lecture à haute voix. Il arrivait à donner un *corps* au texte claudélien, en le faisant vibrer dans une architecture vocale qui avait des effets d'orchestration wagnérienne. L'autre cours que je me rappelle avec un certain plaisir est celui de Shiguéhiko Hasumi : ne cédant jamais à la tentation de se borner à faire convertir en japonais des extraits d'œuvres romanesques ou critiques, il avançait remarques et observations fort intéressantes sur la transformation des pratiques littéraires au milieu du XIXe siècle, en s'appuyant surtout sur l'exemple de Flaubert. J'ai eu de quoi me nourrir et m'enrichir dans ces deux cours, c'est certain. Le reste est tombé dans l'oubli ou presque.

Ce qui m'apporta le plus durant les trois années passées à Tokyo de 1976 à 1979, juste avant ma période de pensionnaire à l'École normale supérieure, c'était, donc, non pas l'enseignement à l'École doctorale qui laissait beaucoup à désirer, mais le travail personnel et solitaire consistant à essayer de lire par exemple les articles qui me semblaient intéressants, essentiellement dans trois revues spécialisées en matière de recherche littéraire : *Poétique, Littérature, Revue des sciences humaines.* Puis, dans le prolongement des lectures montpelliéraines avidement pratiquées, je repris certains livres (Barthes, Poulet, Richard, Genette, Starobinski, etc.), et j'en ouvris d'autres pour la première fois (A. J. Greimas, Philippe Lejeune, Leo Spitzer, des historiens comme Philippe Ariès, des philosophes comme Michel Foucault et Jürgen Habermas, etc.). J'étais convaincu, pour aller plus loin dans mon travail d'accompagnement rousseauiste, de la nécessité de passer par la lecture ou la relecture de grands textes critiques classiques ou d'avant-garde aussi bien que par l'exploration de champs disciplinaires adjacents comme l'histoire ou la philosophie. Ce qui m'intéressait, c'était d'acquérir une méthode rigoureuse d'analyse littéraire, un ensemble d'outils de travail adapté à mon objet d'études, de me familiariser avec la manière dont les Français (je veux dire : *les tenants de certaines tendances de la critique littéraire française*) parlaient à la littérature, interrogeaient une œuvre pour la faire chanter, pour la faire résonner dans la somptuosité des effets les plus divers.

Du collège à l'université, je n'avais rien connu, rien appris, s'agissant de la compréhension et de l'interprétation des textes littéraires japonais, qui relevât d'une *approche méthodique* fondée sur l'examen précis des phénomènes linguistiques et textuels objectivement observables. *Strictement rien*. Les élèves avaient toute la liberté, mais ils ne savaient pas que cette liberté était l'autre nom de l'aveuglement esclave. On leur disait : « Vous écrivez *librement* ce que vous en pensez. » Mais on ne leur donnait aucun outil pour être libres, pour penser, c'est-à-dire pour penser *contre*, pour penser par soi-même, autrement dit pour se libérer de l'emprise des forces obscures qui les empêchaient d'être libres, de penser, ou, cela revient au même, qui les obligeaient à *ne pas penser*; bref on ne leur donnait aucun moyen qui leur permît d'accéder à l'*autonomie*. Est-ce à dire que l'expérience des Lumières n'avait pas pénétré jusqu'au cœur de l'école japonaise ? En tout cas, les élèves se croyaient libres, mais ils étaient esclaves de leur propre ignorance. Certes ils se bourraient le crâne, mais ils s'enfermaient et se complaisaient par là même dans la *non-pensée*. Et l'institution scolaire faisait tout pour entretenir cette ignorance et cet état d'esclavage.

C'est précisément la raison pour laquelle j'avais été si ébranlé, si bouleversé, je le rappelle, par la *lecture symptomale* de Jacques Proust ; c'est aussi la raison pour laquelle j'avais été si profondément enthousiasmé, si fortement fasciné par la rigoureuse démarche critique d'un Jean-Pierre Richard, d'un Georges Poulet et surtout d'un Jean Starobinski.

Je lus ainsi, par exemple, *Figures III* de Gérard Genette qui était considéré comme une grande synthèse de narratologie. Je lus aussi avec un réel plaisir le volumineux et très instructif *Linguistique et discours littéraire* de Jean-Michel Adam et, à partir des abondantes indications bibliographiques de cet ouvrage, je m'orientai surtout vers le champ d'investigations sociocritiques défriché notamment par des chercheurs dix-neuviémistes comme Claude Duchet.

Je rédigeai mon mémoire de maîtrise en deux ans ; je le soutins avec succès et passai ainsi dans le second cycle de l'École doctorale. Depuis longtemps j'avais le projet de me présenter au concours des bourses du gouvernement français organisé par l'ambassade de France afin d'avoir la possibilité d'un deuxième séjour d'études en France. Je tentai ma chance à l'automne 1978 et j'y réussis avec un résultat assez bon pour que le conseiller culturel en personne se proposât de me recommander à l'École normale supérieure de la rue d'Ulm. Je m'étais dit que je retournerais à Montpellier travailler sous la direction de Jacques Proust, mais la perspective de vivre rue d'Ulm ébranla ce projet longuement prémédité. Après des semaines d'hésitation, je me décidai enfin à opter pour Normale sup, en me disant que d'autres rencontres, d'autres avantages dont je ne mesurais pas alors le prix contrebalanceraient le péril de me trouver loin du maître de Montpellier. J'écrivis à Jacques Proust pour lui dire mon tourment qui avait précédé la décision douloureuse mais pleine d'espérance et lui demandai de me présenter à un professeur susceptible de diriger mes études. Il me répondit courtoisement, avec des mots qui m'encourageaient dans le sens de ma décision. Lui-même normalien, il s'autorisait à me dire ce que l'expérience de la rue d'Ulm pouvait avoir d'unique et de précieux dans la formation intellectuelle des jeunes. Et il me conseillait, quant au choix du professeur pour la direction d'une thèse à élaborer, de prendre contact de sa part avec Michèle Duchet, épouse de Claude Duchet précisément et auteure d'*Anthropologie et histoire au siècle des Lumières* que je découvrais à ce moment-là. J'écrivis donc à Michèle Duchet qui m'accepta parmi ses thésards. C'est ainsi que je partis pour Paris en septembre 1979 pour m'installer 45 rue d'Ulm, ou plutôt pour partager, avec une intensité propre à la jeunesse, la vie des normaliens, en qualité de pensionnaire étranger, durant plus de trois ans.

Avant de partir pour la France, nous tra-
vaillâmes, ma compagne et moi, pendant tout
l'été 1979, dans une école de langues à Tokyo
pour nous constituer un petit pécule. La situation financière des boursiers japonais du gouvernement français avait considérablement changé
en quelques années. La mensualité de la bourse
ne suffisait plus, disait-on, pour qu'ils puissent
vivre décemment à Paris. La bourse n'était plus
qu'une aide partielle. Nous étions deux à vouloir
vivre à Paris durant trois ou quatre ans. La somme
que j'allais toucher chaque mois ne payait vraisemblablement que le loyer d'un petit studio
dans le 5e arrondissement près de l'École. Il
nous fallait donc faire des économies.

Michèle travaillait depuis son arrivée à Tokyo
dans cette école de langues et moi-même, en
me prévalant de mes diplômes montpelliérains,
j'y enseignais quelques heures par semaine,
alors que j'étais par ailleurs étudiant à l'École
doctorale de l'université de Tokyo. Je mettais à

contribution tout ce que j'avais acquis à Mont-pellier, au CFP et ailleurs, et du reste je m'en sortais bien, même très bien. Ma passion pour le français, pour l'appropriation du français se transmuait sans hiatus en une passion pédago-gique. Enseigner le français, c'était pour moi communiquer à mes étudiants, souvent plus âgés et même parfois beaucoup plus âgés que moi, mon amour du français, tout le plaisir que je tirais de mon installation, de mon *emménage-ment*, si j'ose dire, dans la langue française, toute la joie profonde que je puisais dans l'acte de *sortir* de moi-même pour devenir quelqu'un d'autre, pour rejoindre un autre monde, l'autre du monde, bref pour me mettre à la place et dans la peau de ceux qui respiraient cette langue, vivaient cette langue, sentaient et se sentaient dans et par cette langue.

Mais il fallait partir. Car je ne considérais pas que mes années d'apprentissage fussent termi-nées (d'ailleurs le seront-elles un jour ?). Je n'avais d'autres désirs que celui de *m'immerger* encore davantage dans le sein de la langue que j'avais choisie et épousée pour faire d'elle une compagne que je me promettais de ne jamais quitter.

Je n'avais qu'une vague et secrète inquiétude en quittant mon pays. Je laissais derrière moi un père affaibli, pour trois ou quatre ans au moins, c'est-à-dire suffisamment longtemps pour me demander si, à mon retour, je retrouverais celui qui, au plus profond de moi-même, m'inspirait le désir de la langue française que lui-même, pourtant, ne parlait pas. Mon père n'était pas très âgé, mais il souffrait d'une maladie du cœur qui le fragilisait. Le retrouverais-je encore, quand j'aurais fini tout ce que j'avais à faire à Paris ?

À Paris, notre vie s'organisait autour de l'École dans le 5ᵉ arrondissement. J'y disposais, dans l'annexe au 46 rue d'Ulm, d'une *thurne* qui me servait de bureau. Nous avions par ailleurs loué un studio rue des Lyonnais tout près de l'École. Le matin je partais tôt de la rue des Lyonnais pour travailler dans ma *thurne*. À midi, Michèle, qui avait choisi de se recycler en didactique du français à la Sorbonne, me rejoignait pour manger au *pot* de l'École. Le soir, nous mangions soit au *pot* soit dans notre studio. C'était ce schéma qui se répétait le plus souvent.

Le lundi soir, de dix-sept à dix-neuf heures, je participais au séminaire sur les Lumières que Michèle Duchet animait conjointement avec Georges Benrekassa au département des sciences des textes et documents de l'université Paris-VII. Ce qui m'impressionna au séminaire de Duchet-Benrekassa, c'était la forme collégiale de l'enseignement : y participaient en effet autant d'enseignants venant d'horizons divers que d'étudiants à proprement parler. À chaque séance, un exposé était confié à un enseignant-chercheur confirmé, travaillant soit à l'université Paris-VII, soit dans une autre université, soit encore dans l'enseignement secondaire. Des étudiants doctorants comme moi étaient également conviés à prendre la parole pour présenter à l'ensemble des enseignants et des étudiants une partie de leur recherche en cours. Le séminaire n'était pas tellement un lieu de formation ni une structure pédagogique conçus en tant que tels, mais bien plutôt un espace de réflexions collectives entre enseignants où les étudiants avaient le privilège d'assister aux échanges et aux débats qui s'engageaient autour d'une question sur les Lumières. J'étais content de cette forme d'enseignement particulière qui me permettait d'entendre nombre d'exposés de qualité et de comprendre par là les conditions requises d'un bon exposé. Lorsque j'eus à en faire un moi-même, je ne me sentis pas si déconcerté. Je saisis l'occasion pour présenter mes réflexions sur l'épisode du vin d'Arbois qui ne cessait de m'interpeller. Une version sensiblement modifiée de cet exposé devint plus tard un chapitre de ma thèse.

J'étais allé voir par-ci par-là un certain nombre de cours assurés par des professeurs dont j'avais entendu parler, ou dont j'avais lu auparavant avec attention et admiration quelques livres ou articles. Mais je ne fis pas de vraies rencontres comme avec Jacques Proust. J'y retournai quelquefois, mais au bout de trois ou quatre séances où je n'entendais que des exposés ennuyeux ou mal faits, j'y renonçai.

Parmi mes échappées hors de l'École et du séminaire de Paris-VII, celle dont je me souviens encore avec plaisir et étonnement est le cours de Roland Barthes au Collège de France. Je ne me rappelle, trente ans après, que quelques instants privilégiés de ces longues heures de monologue barthésien dont la bibliographie était, avait-il annoncé avec un brin de sourire au coin des lèvres lors de la séance inaugurale, *l'ensemble de la littérature*. La littérature au sens moderne — le résultat de l'acte d'écrire au sens intransitif du verbe, pourrait-on dire — commençait, selon lui, avec Rousseau qui était, à ce titre, le premier écrivain commenté cette année-là. L'auteur des *Rêveries*, cet étrange texte qui a l'air de gommer tout à la fois le destinataire et l'objet de l'acte d'écrire, fut suivi de Diderot, de Chateaubriand, de Flaubert... et de quelques autres que j'ai oubliés. Je me trouvais parmi la foule d'auditeurs qui suivaient ce cours dans une des plus grandes salles du Collège. Sur son bureau étaient posés de nombreux micros et petits magnétophones. Une vingtaine d'hommes plutôt jeunes (entre vingt-cinq et quarante ans), les propriétaires manifestement de ces appareils d'enregistrement, entouraient le maître. C'était un peu le roi et sa cour : étrange spectacle qui me laissait perplexe. J'étais équipé moi aussi pour enregistrer le cours, mais je n'osais pas me mêler à cette cour. Quelque chose en moi résistait à cette posture qui me semblait friser l'adoration aveugle. Je continuais donc à aller au Collège sans mon petit magnétophone. Mais un jour de mars 1980, avec la disparition brutale de Roland Barthes, mes visites hebdomadaires au Collège de France prirent fin. Est restée au fond de mes oreilles cette *voix* douce, chaude et légèrement nasillarde de Roland Barthes que j'ai entendue quelques mois plus tard peut-être dans la rediffusion d'une émission de France Musique, « Comment l'entendez-vous ? » (ou était-ce « Concert égoïste » ?), animée par Claude Maupomé, émission dans laquelle Barthes parlait entre autres de sa préférence, en ce qui concerne *Pelléas et Mélisande*, pour la version historique de Roger Désormière, et de la *voix* et du *chant* de Charles Panzéra que je n'avais jamais entendu jusqu'alors. Je ne savais pas encore quelle place Barthes attribuait à ce chanteur d'avant l'apparition du microsillon dans sa façon de se tenir à distance du discours de la critique musicale. Dans le célèbre article « Le grain de la voix », Barthes fait l'éloge de Panzéra comme chanteur capable de libérer le chant de la tyrannie de la signification, au détriment de Dietrich Fischer-Dieskau qui est pour le sémiologue le chanteur emblématique de toute une culture postmicrosillon, exerçant un art « expressif, dramatique, *sentimentalement clair*, porté par une voix sans "grain", sans poids signifiant ». Ça me fait de la peine de voir Fischer-Dieskau que j'admire considéré comme celui qui règne sur tout le microsillon chanté et exerce, par conséquent, une « censure positive par le plein » qui est le trait caractéristique fondamental de la culture de masse. Il est cependant indéniable que Barthes pointe du doigt un moment de rupture dans la culture musicale, qui se cristallise dans la « disparition de la pratique » parallèle à l'« extension de l'écoute »... J'appartiens, hélas, à l'ère de l'écoute ; je suis un enfant de cette culture d'écoute ; j'ai même une familiarité extrême avec la forme la plus achevée de l'écoute musicale que rend possible la technique d'aujourd'hui... Et je dois le reconnaître, Fischer-Dieskau est incontestablement un de ceux par qui l'émotion et la jouissance m'arrivent. C'est ainsi.

Ce qui, finalement, nourrissait et fortifiait ma langue *paternelle*, la langue que je portais donc en moi depuis un peu moins de dix ans, ce n'était pas tant ce que j'apprenais dans les cours et les conférences que ce qui frappait mes yeux dans les rues, dans les cafés ou dans les jardins, les films que je regardais dans les salles de cinéma, la musique qui me caressait les oreilles à l'Opéra ou dans les salles de concert, les tableaux que je contemplais dans les musées grands et petits, les paroles vives, dans leur matérialité sonore, que je captais au cours des échanges quotidiens interminables avec les amis rencontrés dans et autour de l'enceinte de l'École, et enfin, et surtout, les *textes* d'un certain nombre, au demeurant assez limité, d'auteurs classiques et modernes que je lisais et relisais dans le silence tout sonore de ma solitude. Un spectacle de rue étonnant, une musique sublime, un film bouleversant, un tableau magnifique, une joyeuse conversation amicale dans un café, une belle page de roman : tout cela pouvait irriguer et fertiliser la langue qui me traversait désormais de part en part, car tous ces chocs *esthétiques* suscitaient des mots et libéraient la parole ; la langue que je cultivais en moi comme une plante précieuse se développait, se ramifiait, se revigorait au contact d'une source de désir qui se cachait dans ces moments d'émerveillement.

4

Parler de tous ceux qui occupent une place dans mes souvenirs serait fastidieux. Il est des personnes, en revanche, que je me plais à évoquer, car elles ont laissé en moi des traces d'ordre verbal, gravées pour l'éternité limitée de ma conscience au plus profond de mon espace mental, structurellement et tendanciellement constitué en français à présent, me semble-t-il. C'est sans doute la conséquence naturelle du fait que ma vie sous le signe de la double appartenance au japonais et au français est maintenant trois fois plus longue que ma période monolinguistique de naissance.

S'agissant d'une trace verbale profonde, je pense à un professeur de l'École : Louis Althusser. Une histoire affreuse l'a plongé dans un fait divers qui a fait bavarder tous les imbéciles du monde. Mais j'ai une *dette de langue* à son égard et je voudrais m'en acquitter ici.

Il était agrégé répétiteur de philosophie à l'École. Je le rencontrai un soir du mois de janvier en 1980, dans l'appartement du directeur de l'École, lors de la fête du nouvel an à laquelle étaient conviés professeurs, personnel, élèves. Je ne l'ai vu qu'à ce moment-là, le temps d'une petite conversation, une coupe de champagne à la main. Mais il a, dans mon souvenir, une *consistance* linguistique assez extraordinaire.

Il faisait très froid. J'étais arrivé à l'École trois mois auparavant. Sans doute quelqu'un s'était proposé de m'introduire auprès d'Althusser pour que je lui parle de mon projet de thèse. J'étais fortement intimidé et même effrayé à l'idée de me trouver devant lui. Il fallait que je rassemble tout mon courage pour l'affronter. Enfin, passant à l'offensive, je me dis : « Je n'ai qu'à lui exposer en toute franchise quelques-unes des idées que je pense mettre dans ma thèse. Pas la peine de s'en faire une montagne ! On verra bien. »

Mais Althusser était déconcertant au plus haut degré. Discret, et même franchement absent, il ne parlait pas beaucoup ; il se cloîtrait, au contraire, dans un silence embarrassant. Les banalités échangées, il ne cherchait pas à soutenir la conversation. C'était plutôt moi qui en faisais les frais tant bien que mal.

Cependant, le sauveur apparut. T., qui était à l'époque l'animateur acharné des « Rendez-vous de la rue d'Ulm » (conférences données tous les lundis par des intellectuels de haute volée), s'approcha de nous pour nous proposer du champagne et des canapés. Un plateau à la main, il s'était parfaitement moulé dans le rôle d'un garçon de café. Son visage était écarlate ; il transpirait à grosses gouttes. Il dit d'une voix bien timbrée :

— Un peu de champagne ?

La tête penchée en avant, Althusser répondit avec un sourire légèrement et gentiment ironique :

— Quel dévouement à la *chose publique* !

La réplique de T. était magnifique :

— Il n'y a que ça qui compte !

Il y avait de l'éclat dans sa voix, un grand épanouissement sur son visage.

Au fond du cœur humain se trouvent des endroits écartés, des régions obscures et même mystérieuses qui échappent à l'effort de l'esprit. La pensée ne court pas aussi vite que les mouvements instantanés de l'humeur. Chose étrange, dès l'instant de cette intervention joyeuse de T., ma conversation avec le philosophe commença à couler avec une fluidité et un naturel remarquables.

Très vite, je fus amené à expliquer à Althusser mon approche de Rousseau ; j'osai lui dire que je voulais entrer dans son univers, non pas par les grandes voies canoniques de sa pensée politique, mais par une petite porte latérale presque inaperçue et hors d'usage : le thème du vol.

— C'est un point de vue ingénieux et fascinant, me répondit-il immédiatement sur un ton convaincu et rassurant.

Encouragé, je poursuivis mon petit discours : je dis surtout comment le thème du vol structurait le récit autobiographique des *Confessions* et que mon projet principal consistait à lire, dans les effets textuels de cette structure particulière, l'inscription du réel socioculturel qui se caractérise par le démantèlement du monde traditionnel fondé sur l'autonomie de la *domus*, et à montrer, par là même, comment *la littérature* est liée à l'avènement de notre âge moderne qui, dans le clivage du public et du privé, a produit l'individu isolé en le pourchassant définitivement de la clôture domestique.

J'avais très chaud. Je transpirais. Je sentais de la moiteur un peu poisseuse au cou qu'encerclait mon écharpe. Autour de nous, quelques élèves tendaient l'oreille à notre conversation. Althusser prononça alors des *mots* qui ne me quittèrent plus :

— Il y a, en effet, chez Rousseau une haine viscérale envers tout rapport marchand et l'économie monétaire.

Ce fut tout. Ou plutôt, c'est ce qui me reste aujourd'hui de cet entretien. Dans ma thèse sur l'acte autobiographique de Rousseau, il y a toute une réflexion sur le concept d'économie tel qu'il apparaît en filigrane dans les souvenirs liés au séjour de Jean-Jacques chez Mme de Warens. Je ne parle pas d'Althusser, je cite plutôt le grand historien allemand Otto Brunner. Mais à côté de celui-ci, je voyais l'ombre portée du philosophe de la rue d'Ulm, alors que personne ne pouvait s'en douter sauf peut-être les élèves qui avaient assisté à nos échanges éphémères. Mais il faut dire que les camarades de l'École n'avaient alors aucune possibilité de lire ces pages destinées seulement aux membres du jury de thèse. Bien des années plus tard, lorsque j'écrivais à Tokyo en 1992-1993 mon premier livre, *La Volonté de bonheur, le procès de civilisation et l'écriture littéraire*, de nouveau je pensais souvent aux mots d'Althusser. Dans ce livre qui compte plus de mille feuillets manuscrits, la place occupée par les *Confessions* est fort réduite ; ce n'est donc pas un livre directement issu de mes années passées à la rue d'Ulm que j'adressais au public japonais. Néanmoins, si je relis, entre autres, les pages consacrées à *La Nouvelle Héloïse*, qui constituent le noyau de *La Volonté de bonheur*, je me rends compte que ce sont là de longues réflexions suscitées par l'énoncé d'Althusser.

J'ignorais tout, à l'époque, presque tout de ce philosophe. Je n'avais lu que son très dense article sur le *Contrat social* paru dans les *Cahiers pour l'analyse*. Ma connaissance du philosophe ne s'est guère approfondie depuis. Cependant, dans ma bibliothèque personnelle, se trouvent aujourd'hui deux ou trois livres d'Althusser dont *Politique et Histoire de Machiavel à Marx*, publié en 2006. Il s'agit du cours qu'il donna à l'École normale supérieure entre 1955 et 1972. Une cinquantaine de pages sont réservées à

Rousseau. C'est en somme tout ce dont je ne pus profiter. Dans les quelques pages de ce cours qui portent sur le moment de la « véritable jeunesse du monde » — le moment de la « société naissante » ou de la « société commencée » — dans le *Second Discours*, je retrouve tout entier l'Althusser avec qui je me suis entretenu il y a près de trente ans. J'ai le sentiment d'être témoin de la rencontre de deux hommes d'exception — l'un commentant l'autre — qui ont rêvé d'un état, d'une utopie, osons le mot, *communiste*, où les rapports humains, les relations sociales ou sociétales ne sont pas encore rongés, minés et détruits par les rapports marchands, ni par les actes de consommation massive fondés sur l'économie monétaire.

La « véritable jeunesse » du monde située à mi-chemin de l'état de nature et de la société à proprement parler, c'est le monde de l'humanité heureuse jouissant à la fois de la plénitude de la nature immédiate et des avantages liés au commerce des êtres qui se caractérise essentiellement par l'intensité et la douceur des sentiments hors de toute relation médiatisée par l'argent. C'est l'humanité, à l'époque de la dispersion des familles, soustraite aux violences sociales, aux situations conflictuelles issues des rapports d'interdépendance mercantilisés. J'aime cette idée de « juste milieu », cet état intermédiaire, cet entre-deux infiniment précaire qui *ne* relève *plus* de la nature à l'état pur, mais qui n'a *pas encore* toutes les caractéristiques constitutives d'un véritable état social où prédominent les rapports économiques et marchands.

C'est sans doute dans l'*Essai sur l'origine des langues* qu'on trouve la plus belle description, la plus exaltée, la plus énergique et la plus enjouée de ce moment althussérien, si j'ose dire, si caractéristique de l'imaginaire rousseauiste où les hommes, sortant de leur isolement familial, se rencontrent, se retrouvent puis s'engagent peu à peu dans des fréquentations durables sans que celles-ci ne se détériorent pour autant et aboutissent à des rapports d'essence économique réifiés. Il est remarquable que toute l'attention de Rousseau se concentre sur l'évocation des « premières fêtes », des occasions de rencontre et d'échange amoureux libres de toute pesanteur sociale, où, précisément, l'on assiste à la naissance simultanée d'une première tentative de communication verbale et... de la *musique*. Oui, la musique est là comme *trace* et *témoignage* de la vérité des sentiments qui lient le jeune homme et la jeune fille rapprochés. Elle fait partie intégrante de la rencontre amoureuse :

Dans cet âge heureux où rien ne marquait les heures, rien n'obligeait à les compter ; le temps n'avait d'autre mesure que l'amusement et l'ennui. Sous de vieux chênes vainqueurs des ans, une ardente jeunesse oubliait par degrés sa férocité, on s'apprivoisait

peu à peu les uns avec les autres; en s'efforçant de se
faire entendre, on apprit à s'expliquer. Là se firent les
premières fêtes, les pieds bondissaient de joie, le geste
empressé ne suffisait plus, la voix l'accompagnait
d'accents passionnés, le plaisir et le désir confondus
ensemble se faisaient sentir à la fois. Là fut enfin le
vrai berceau des peuples, et du pur cristal des fon-
taines sortirent les premiers feux de l'amour.

Le philosophe de la rue d'Ulm que j'ai vu à
peine une demi-heure déposa en moi quelques
images qui soulignent toutes une grande solitude. Je le croisais de temps à autre dans les
couloirs ou dans la bibliothèque de l'École où
il vivait. Il était toujours seul, jamais accompagné de qui que ce soit; il marchait sans bruit
comme un somnambule désorienté. Je n'osais
lui adresser la parole. Aujourd'hui, la présence
d'Althusser est pour moi une présence essentiellement verbale, limitée seulement à quelques
mots captés lors de cette soirée d'hiver, mais des
mots qui ont conservé une étonnante force
d'inscription. Tout le superflu, tout l'inessentiel
ayant disparu dans la nuit de la mémoire, mis
à part ces mots, je ne garde de lui de façon vive
et insistante que la frêle silhouette d'un vieil
homme fatigué, portant dans une main un
panier à provisions, marchant lentement et
péniblement devant le grand portail en fer de
l'École. Ainsi, Althusser n'est que des mots.
Mais quels mots! Des mots dits avec une voix

d'outre-tombe qui résonne encore dans la profondeur nocturne de mes oreilles. Des mots doués d'une puissance singulière qui *se confondent,* par-delà le fossé de plus de deux siècles, avec ceux de Jean-Jacques rêvant à un état d'avant l'apparition de la société. Ils sont là près de moi, frais, massifs, tenaces, et souverainement présents ; les mots ne vieillissent pas, ils vivent plus longtemps que leur frêle émetteur. La chair passe, le verbe reste.

5

Si j'ai vu Louis Althusser une fois, une seule
fois, le temps d'une brève conversation, le jour
d'une fête bien arrosée, celui que je considère
comme mon véritable maître, celui sans qui je
n'aurais sans doute pas eu l'audace ni le désir
de m'engager dans l'enseignement du français
et la recherche en matière de littérature française, celui pour qui mon admiration n'a cessé
de croître depuis la lecture décisive et providentielle de la quatrième de couverture puis des
premières pages de *La Transparence et l'obstacle*,
ce professeur-là, je ne l'ai même pas vu une
seule fois, je n'ai même pas eu l'occasion de
l'apercevoir de loin dans une salle de conférences. Il m'est impossible de me représenter
cet homme dans une image physique concrète,
dans sa façon de se tenir, dans sa démarche,
dans ses gestes, dans la réalité de ses mouvements corporels. Bien sûr, il y a des photos
par-ci par-là, dans des manuels, dans des journaux et revues, surtout dans un beau livre qui

lui est consacré : *Cahiers pour un temps : Jean Sta-robinski*. Mais elles relèvent du passé, elles n'ac-tualisent pas le photographié dans le présent de la perception vive et aiguë. Entre nous, il y a eu juste une fois un échange de lettres et d'articles, c'est tout. De Jean Starobinski, je n'ai eu en fait, pour ce qui est de la trace d'une relation per-sonnelle, que quelques lignes de remerciement écrites de sa main — une écriture fluide, sensi-blement penchée ; de lui, mis à part quelques livres et articles qui vivent en moi, j'ai finale-ment le sentiment de ne connaître réellement et intimement que sa *voix* tout à la fois claire, sonore, discrètement mélodieuse. Cette *voix*, je l'ai entendue en effet deux ou trois fois à la radio ou, plus récemment, sur Internet. Chaque fois, c'était une émission de France Culture. Sta-robinski est donc une *voix* : la voix bienveillante d'un homme calme qui s'entretient affablement avec la personne qui se trouve en face de lui ; mais, en même temps, c'est une voix qui se fait entendre avec une netteté accrue dans ses écrits, dans son mouvement d'écriture. J'avais décou-vert Starobinski d'abord dans son texte avant d'entendre sa voix radiophonique. Mais dès l'instant où j'ai entendu cette voix dans une émission entièrement consacrée au critique genevois, dans laquelle il était question de dresser le portrait de celui-ci à l'aide d'entre-tiens et de témoignages d'amis, son texte s'est incarné dans cette voix. Ou, pourrait-on dire, elle a commencé à *habiter* son texte. C'est une voix douée d'une extraordinaire présence; mon oreille l'a enregistrée et fixée une fois pour toutes dans ses traits phoniques et sonores parfaitement reconnaissables. Elle est si présente en son texte qu'elle en devient indissociable. Mieux : elle se confond avec ma propre voix qui lit son texte en silence. Elle se loge en moi, dans ma voix, dans la voix que j'entends s'articuler, s'énoncer dans ma tête quand je cours après le mouvement de la pensée affirmée, phrase après phrase, ligne après ligne. C'est une *voix intérieure* à laquelle j'adhère de mon plein gré, comme si j'étais à l'écoute du battement de mon propre cœur au fond de mes oreilles. Elle résonne, en se mêlant à la mienne, dans les pages que je relis pour la énième fois ou que je découvre dans l'odeur de l'encre tiède et enivrante d'un livre tout neuf.

Je l'ai dit : au cours de mes années d'apprentissage à Tokyo et à Montpellier, j'avais pris l'habitude de recopier des phrases ou des paragraphes entiers d'auteurs qui m'avaient frappé. Je m'étais constitué un cahier de citations; et je m'aventurais de temps à autre à imiter le style de ces citations (encore mon goût d'imitation). Je me plaisais à me glisser dans la langue d'un écrivain pour en sortir et me plonger dans celle d'un autre. Certains procédés, certains tours, certaines constructions grammaticales complexes étaient ainsi entrés dans mon arsenal d'outils et moyens linguistiques. Mais à présent, Starobinski était devenu quasiment l'unique référence, un modèle absolu qui me guidait dans mes réflexions tâtonnantes sur Rousseau, réflexions qui étaient simultanément des tentatives de pénétration dans les profondeurs de la langue française. Je me nourrissais de ce que m'offraient les pages de Starobinski. Les deux éditions de *La Transparence et l'obstacle*; les deux éditions de *L'Œil vivant*; les deux éditions de *La Relation critique*; *L'Invention de la liberté*; *1789, Les Emblèmes de la raison*; l'édition revue et corrigée de ces deux derniers ouvrages réunis en un seul volume récemment publié, et tant d'autres livres jusqu'aux plus récents... auxquels j'ajouterai de nombreuses photocopies d'articles pliées et agrafées : tout cela, entassé et empilé, fait une haute tour d'une cinquantaine de centimètres. C'est là qu'habitait mon professeur que je ne voyais jamais et que je n'ai jamais rencontré. Cette tour abritait une école et c'est dans cette école que j'ai fait mes classes; c'est dans cette école que j'ai appris à écouter les mots et la musique des mots; c'est donc dans cette école que j'ai acquis les bases de ce qui fait l'essentiel de ma vie, ma vie de professeur de français et de littérature française, mais aussi ma vie de locuteur français, ma vie d'homme vivant et inséré dans la grande fertilité de la langue française.

6

Toutefois, il faut être honnête, mon école se trouvait aussi dans le cours ordinaire de la vie, dans les échanges qui naissaient et dans les relations qui se tissaient dans et autour de l'École. C'étaient des amis, des conversations avec des amis, des rencontres qui se faisaient à travers l'École, qui m'élevaient, me façonnaient. Les conférences que nous allions écouter, les concerts que nous allions entendre, les opéras que nous allions voir à prix d'étudiant, les films que nous allions découvrir ou redécouvrir essentiellement dans les cinémas d'art et essai du Quartier latin ou, parfois, à la cinémathèque, ou tout simplement les discussions autour des livres lus, des concerts entendus, des films vus, des projets d'écriture envisagés, tout cela constituait une toile de fond de ma vie à la rue d'Ulm.

Parmi les fréquentations habituelles, il y avait une normalienne agrégative qui aimait beaucoup Flaubert. Nous nous voyions souvent dans un café près de l'École, après le déjeuner pris ensemble au *pot*. Et là fleurissaient des discussions sur la littérature et la musique. Flaubert et Rousseau étaient souvent au centre de nos échanges. Une fois nous parlâmes des dernières pages de *L'Éducation sentimentale*, de ce fameux « Il voyagea » et de la série des passés simples qui suivent, de la petite maison où vit Mme Arnoux, de la vue du pied de celle-ci qui trouble soudain Frédéric. Ce jour-là, il y avait bien des gens avec nous et autour de nous, mais je ne garde de ce moment que l'impression de sa seule présence et de notre complicité. Rien ne marquait les heures. Rien ne nous obligeait à les compter. Dans la foulée de la conversation qui touchait le *chant* que j'entendais en sourdine dans ces pages, j'ai osé chanter un bref passage d'un lied de Schubert, *Salut matinal (Morgengruß)* de *La Belle Meunière*, en imitant les inflexions vocales de Fischer-Dieskau : « *Bonjour, belle meunière ! / Pourquoi caches-tu ainsi ta jolie tête, / Comme s'il t'était advenu quelque chose ? / Mon salut te fâche-t-il donc tant ?...* » Mais cette conversation délicieuse qu'on croyait pouvoir prolonger interminablement devait, hélas, s'arrêter, car des cours ou des lectures à faire nous rappelaient à notre table de travail ou à la bibliothèque. On se sépara à regret.

Cette année-là, justement, *L'Éducation sentimentale* était au programme de l'agrégation. Un cours était assuré à l'École à l'intention des agrégatifs par un célèbre flaubertien, proche de

Claude Duchet, dont j'appréciais les travaux. Je me faufilais parmi les élèves français dans la salle Cavaillès. C'était un vrai plaisir de l'entendre donner de brillantes explications sur certains passages du roman. Il insistait souvent sur les effets stylistiques particuliers « à la limite de l'incorrection », disait-il, que Flaubert s'autorisait à créer.

J'avais gardé un vif intérêt pour Flaubert qui remontait à l'enseignement de Shiguéhiko Hasumi à l'École doctorale de l'université de Tokyo. De là j'avais fini aussi par m'initier peu à peu à l'univers des romanciers immenses comme Stendhal, Balzac et Zola. Il faut dire que j'avais été aiguillonné entre-temps par la lecture des travaux de chercheurs comme Claude Duchet, Pierre Barbéris et Henri Mitterand qui avaient pour point commun la volonté de prendre en compte la dimension politique, sociale aussi bien qu'idéologique de la production romanesque du XIXe siècle, ce qui était mon principal souci, face aux textes fondamentaux des Lumières.

Presque à chaque séance du cours d'agrégation, je me trouvais derrière ou à côté de cette amie agrégative qui prenait d'abondantes notes à une allure surprenante. Je l'admirais. Je l'admirais dans cette tension extrême jamais relâchée devant l'explication du professeur. C'est, je crois, lors d'une de ces séances d'explication de texte que le professeur nous signala à titre indicatif un article récent de Jean Starobinski sur les perceptions corporelles dans *Madame Bovary*. Le champ de prédilection de Starobinski est, on le sait, le XVIIIe siècle. Mais il fait, de temps à autre, de belles échappées dans d'autres siècles. Je m'efforçais d'être attentif à la moindre apparition du nom de Starobinski dans les périodiques, mais cet article sur *Madame Bovary*, « L'échelle des températures, lecture du corps dans *Madame Bovary* », avait échappé à ma vigilance. Je me procurai l'article à la bibliothèque de l'École et j'en fis une photocopie supplémentaire pour cette amie.

Un jour de printemps ensoleillé, dans l'après-midi, j'allai la voir chez elle pour lui donner l'article de Starobinski mais aussi pour lui prêter le petit livre vert de Pierre Cogny sur *L'Éducation sentimentale* que j'avais bien aimé. Elle était là. Elle vivait en colocation, non loin de l'École. Elle m'introduisit dans sa chambre où résonnait *La Fileuse* de Mendelssohn (opus 67-4 des *Romances sans paroles*) interprétée par je ne sais qui, peut-être par Daniel Barenboïm. Ou bien, c'était un extrait du troisième acte de *Siegfried* de Wagner, le moment où Brünnhilde sort de son long sommeil enflammé pour saluer le soleil et la lumière et pour connaître enfin son héros Siegfried. Les souvenirs, près de trente ans après, sont un peu confus dans ma tête. Elle me dit :

— On se fait un petit thé ?

Assis autour d'une table ronde, nous bûmes du thé. Qu'est-ce que nous nous sommes dit ? Je ne sais plus. Tout ce que je sais, c'est que j'étais au bord d'un débordement de paroles. Elle me voyait sans doute embarrassé. Mais rien ne sortit de ma bouche, ou *presque* rien, sinon des légèretés maladroites. Je lui donnai l'article de Starobinski.

— Il est éblouissant ! lui dis-je. Ce qui est fascinant chez lui, c'est le soin qu'il apporte aux détails. Tu verras, dans les premières pages, tout ce qu'il peut tirer d'une phrase, d'un tout petit paragraphe de Flaubert, c'est incroyable ! Avec lui, on comprend ce que veut dire « Le bon Dieu se cache dans le détail. »

Puis je lui tendis le livre de Pierre Cogny :

— Tu peux le garder aussi longtemps que tu le souhaites.

Je crus voir ses yeux s'humecter comme d'une poussée de larmes.

Mais il fallait qu'on se sépare. En me levant, je vis qu'il y avait sur la table de travail (qui était une simple planche reposant sur deux tréteaux) *La Belle Meunière* de Schubert chantée par Fischer-Dieskau et *Les Noces de Figaro* dans une version assez récente dirigée par Daniel Barenboïm. Je ne la connaissais pas.

— Ah ! Tu aimes *Les Noces de Figaro* ?

— Oh oui, le personnage de Chérubin me fascine. C'est Teresa Berganza qui chante. Elle est extraordinaire ! Le comte est chanté par Fischer-Dieskau ! (Elle prononçait le nom du grand baryton comme si elle le mettait en relief en l'étirant.) Et puis, *Le Mariage de Figaro* est au programme de l'agrég cette année.

— *Figaro*, c'est un vrai miracle pour moi. Tu sais, c'est Mozart qui a donné de l'impulsion à mon désir d'apprendre le français. Ça te paraît bizarre ? Le XIXe siècle, c'est pas mal, mais le XVIIIe, c'est le siècle de Mozart et... de Rousseau !

Son visage s'illumina d'un sourire complice d'une merveilleuse grâce.

Ce fut tout.

Le petit livre vert sur *L'Éducation sentimentale* est resté chez elle, comme en souvenir de ce moment si court mais si intense et si délicieux, sans doute enfoui au fond d'un tiroir, ou égaré, dans un coin de sa bibliothèque, parmi beaucoup d'autres livres sur Flaubert. Est-elle devenue professeur ? Transmet-elle à ses étudiants sa passion littéraire ?

À l'agrégation de 1981, c'est Beaumarchais qui est tombé. Un jour d'automne, en 1981 si je ne me trompe, je reçus une longue lettre de cette amie dans mon casier de l'École. Elle me disait, entre autres, qu'elle devait son succès à l'agrégation à Mozart, car elle avait eu une excellente note, la meilleure du concours, dans l'exercice de dissertation littéraire sur Beaumarchais, grâce à l'écoute attentive et réitérée des *Noces de Figaro* qui l'avait *énormément* inspirée. Ai-je répondu à cette lettre ? Je ne m'en souviens pas ; enfin, je ne le pense pas.

7

Nous sommes rentrés à Tokyo, Michèle et moi, en janvier 1983. Après une longue attente de trois ans, nous avons enfin eu tous les deux un poste en université. C'était un soulagement après dix ans de vie un peu nomade, de Montpellier à Tokyo, de Tokyo à Paris, de Paris à Tokyo. Je commençai donc à enseigner le français. Gagner ma vie en enseignant le français, l'objet d'une passion indestructible, c'était le bonheur. Dans un pays comme le Japon où, dans le contexte de l'hégémonie excessive de l'anglais, le français, comme d'ailleurs d'autres langues, n'a pas véritablement le statut de « langue vivante » dans les collèges et lycées, le cours de français en université, dans toute sa gamme allant de la grammaire élémentaire à l'analyse de textes littéraires, était pour moi — et il l'est toujours — moins l'occasion solennelle de donner des connaissances que le moment de rencontre avec des jeunes gens où je mettais tous les moyens en œuvre pour trans-

mettre mon amour du français, ma passion inépuisable pour cette langue, pour la littérature
bâtie sur elle ou en elle, et enfin pour tout l'univers social et humain qui n'est tel que par la
médiation de cette langue qui m'habite mais
que je contemple, en même temps, de l'extérieur. Mon rôle consiste en effet, non pas à
instruire les étudiants en les dotant de connaissances fatalement fragmentaires, mais plutôt à
susciter et provoquer chez eux le *désir* de sortir
d'eux-mêmes pour aller à la rencontre de l'espace de ces connaissances mêmes. Bref, je ne
réussis mon métier que si j'arrive à insuffler le
désir, à installer ceux qui m'écoutent dans une
posture d'ouverture active à ce qui vient de
l'*ailleurs* français. Car enseigner, c'est offrir la
possibilité de se cultiver et de s'élever ; et se
cultiver, c'est sortir de sa culture propre, comme
le dit quelque part Jacques Rancière. C'est dans
cet état d'esprit que j'ai débuté dans l'enseignement ; et c'est dans cet état d'esprit que je
demeure.

En 1986, en mai, une petite fille nous est née.
Nous l'avons prénommée Julia-Madoka pour
qu'elle se sente porteuse de deux langues, de
deux mondes, donc d'un double repère sûr,
d'une double perspective solide dans la vie qui,
par ailleurs, la conduira nécessairement dans
des lieux hors de cette perspective.

Très vite, dès avant même la naissance de
l'enfant, s'est posé le problème de la politique

linguistique à adopter. Nous avons recueilli des informations sur ce sujet. Comment ça se passe dans d'autres familles biculturelles ? Les réponses étaient variées. C'était normal. La réalité des pratiques langagières des couples mixtes ne peut pas se ramener à un modèle unique. Chaque cas est unique en son genre. Il nous fallait donc réfléchir et trouver tout seuls une réponse à cette question fondamentale : « Quelle langue parler à l'enfant ? », tout en s'inspirant de quelques exemples concrets observés çà et là.

Le conseil d'un ami français fut décisif : chacun devrait parler à l'enfant sa langue d'origine. C'est la seule manière de respecter les souvenirs les plus lointains, les choses enfouies au plus profond de soi-même, les goûts, les préférences, les penchants dont on n'est pas maître, bref tout ce qui relève peut-être de l'inconscient. J'ai commencé à devenir véritablement un *sujet parlant* en français vers l'âge de vingt-deux ou vingt-trois ans. Or il est essentiel que j'arrive à faire passer, dans les relations que j'aurai avec mon enfant, tout ce qui se situe dans les strates constitutives de mon existence formées *avant* mon passage à l'époque où l'usage du français devient un important élément de structuration de ma personnalité. Ma vie est en effet constituée, je le rappelle, de deux époques différentes : l'époque du monolinguisme japonais et l'époque plus tardive et plus longue qui se caractérise par ma double appartenance linguistique, par mon choix délibéré de ne pas faire du français le simple objet ou le simple instrument de ma vie professionnelle d'enseignant, par ma ferme décision de demeurer *double*, intentionnellement et obstinément *double*, jusqu'aux plus petites ramifications de mon être, mon arbre de vie. Il était important que je parle à Julia-Madoka de ma mère, de mon frère, de mes grands-parents, de mon *père* surtout qui a joué un si grand rôle dans la manière dont je me suis investi dans la langue française, et finalement de toute ma vie d'enfance et d'adolescence qui s'est construite sans aucune intervention de cette langue, même si celle-ci est devenue plus tard ma principale langue de travail et de vie pour *interpréter* tout mon passé d'avant son apparition (tout ce que je dirai à ma fille ne surgira pas de, mais passera nécessairement par l'être que je me suis fait dans et par ma langue d'adoption). Autour de nous, dans certaines familles franco-japonaises, le choix de la langue à utiliser se faisait selon le critère spatial : le français à la maison, le japonais à l'extérieur en présence surtout de locuteurs japonais. Ce n'était pas notre solution. Notre critère était d'ordre *personnel*. Michèle s'adressait à Julia-Madoka toujours et exclusivement en français et moi, pareillement et inversement, toujours et exclusivement en japonais. La question d'*adresse* nous a semblé essentielle.

C'est ainsi que notre enfant a grandi, en assimilant le japonais à la *figure* du père, le français à celle de la mère. Des jours heureux passèrent. Des mois, encore des mois plus heureux passèrent. Des sons indistincts ni clairement japonais ni nettement français apparurent chez le petit être. Puis, un jour, le son français /r/, l'un des plus difficiles pour les japonophones, surgit de sa bouche. Ce son si difficile à faire produire à mes étudiants lors de la première approche du français, c'était le premier son distinctement articulé chez ma fille ! Suivirent alors des flopées de sons et des gazouillis qui accompagnaient des sourires en fleur de plus en plus nombreux et fréquents. Puis des mots japonais, mais des mots français aussi. L'enfant allait à la crèche. En semaine, elle passait des journées entières, de huit heures à seize heures, dans une joyeuse bande de gosses. Je continuais toujours à lui parler exclusivement en japonais.

Mais un jour, d'une façon tout à fait inattendue, Julia-Madoka m'adressa la parole en français. Elle avait un peu moins de quatre ans. J'étais seul avec elle. Elle finissait son déjeuner ; le dessert arrivait. Je lui dis :

— *Julia-chan, dezaato wa yooguruto to banana dayo* (« Julia, pour le dessert, tu as du yaourt avec de la banane ! »).

— Oui, j'aime beaucoup ça.

Je fus troublé par cette soudaine apparition d'une petite phrase complète en français. Il y eut un moment de silence où je cherchais mes mots. Je les cherchais en japonais ou en français ? Non, je me cherchais plutôt, je cherchais en moi celui qui parlerait à ma fille en français. Après quelques secondes qui me paraissaient comme indéfiniment allongées, je lui répondis :

— Moi aussi, j'aime beaucoup ça. Alors, Julia-chan, on va prendre le dessert ensemble !

Ce jour-là, le français fit irruption dans mon *être-ensemble-avec-ma-fille* et il y resta. Il y reste toujours et y restera encore et durablement. Depuis sa naissance, elle m'avait entendu parler avec sa mère en français, car la langue utilisée pour la construction des relations conjugales est exclusivement le français. Le français est la langue de maman, le japonais celle de *Otoosan*, papa. Mais, à un moment donné de son éveil affectif et intellectuel, elle se rendit compte que *Otoosan* utilisait la langue de maman quand il parlait avec elle. Dès lors, le français s'installa sans heurt en tant que langue commune aux trois co-occupants de l'espace-temps familial. Le français devint la langue du *monde commun* à nous trois. C'est la raison pour laquelle Julia-Madoka a toujours eu le sentiment que sa langue première était le français, alors même qu'elle maîtrisait mieux le japonais en raison de sa socialisation scolaire entièrement effectuée dans le système éducatif japonais. La pauvreté du vocabulaire, les incertitudes grammaticales n'influaient aucunement sur le caractère premier et primordial du français, dit aujourd'hui ma fille qui pense avoir atteint un bon équilibre entre les deux langues, équilibre qui se traduit par le sentiment intime de proximité affective éprouvée tout à la fois à l'égard du japonais et de la langue commune du petit monde familial.

Pareil sentiment de proximité affective m'est étranger. Le français n'est pas ma langue première. Ce n'est qu'une langue d'adoption, une langue d'emprunt, une langue greffée, une langue d'autrui, une langue qui m'est venue d'ailleurs. Ce qui prévaut chez moi, c'est une proximité gagnée, le sentiment d'avoir annulé la distance par mon adhésion volontaire et chaleureuse à l'espace de la co-présence familiale permanente.

J'ai accompagné ma fille au cours de ses études, dans le primaire mais aussi et surtout pendant toute la durée du secondaire. Elle était dans une soi-disant bonne école japonaise, mais j'ai vu que l'enseignement n'y était pas de nature à mettre en branle l'esprit des élèves. L'école n'y était pour rien, c'était tout le système, toute l'organisation, voire toute la conception de l'enseignement qui me paraissait souffrir d'un sérieux dysfonctionnement. Le cours d'anglais, celui de japonais aussi bien que les disciplines relevant des sciences humaines et sociales m'ont semblé particulièrement inquiétants, car rien ne laissait paraître que les élèves étaient conduits à s'éveiller au *monde,* en se détachant de leur quotidien immédiat : personne ne semblait se préoccuper de l'enseignement en tant que travail d'*éloignement* et d'*arrachement à soi,* et non de proximité. Rien n'indiquait que les élèves étaient amenés à faire un usage actif de leur esprit par la voie de l'analyse, de la lecture des grandes œuvres, par ce que j'ai envie d'appeler avec Cioran des « exercices d'admiration ». Ils étaient enfermés dans un interminable cycle de bourrage de crâne. Peu de place réservée à la dimension sonore et dramatique de la langue ; aucune place faite à l'exercice critique de la raison face aux textes. J'ai été contraint de dire à ma fille de suivre la voie *paternelle,* celle que je lui montrais, au lieu d'écouter sagement ses professeurs.

Aujourd'hui, c'est une jeune fille heureuse de parler avec aisance les deux langues, celle de sa mère et celle de son père, heureuse de se servir de l'anglais appris dans l'amour des chansons des Beatles, heureuse aussi de s'ouvrir avec joie à d'autres langues (l'italien, l'arabe...), heureuse enfin et surtout de s'être débarrassée, par le message universel du métissage qu'elle porte sur ses épaules avec fierté, du mythe de la pureté ethnique et culturelle.

Un autre souci qui ne m'a jamais quitté durant les années d'éducation où j'ai escorté ma fille, c'est le souci de la musique. Ce goût de la musique, j'ai tenu à le transmettre à Julia-Madoka. Et puis je ne pouvais pas envisager de ne pas la pousser à apprendre à jouer d'un instrument de musique. Car je pensais (et je persiste à penser), comme mon père, que l'apprentissage d'un instrument de musique est une voie d'accès privilégiée à la *discipline* et, surtout, à la formation de la volonté de dépassement de soi-même. Jouissance de la musique et effort de ressaisissement sans cesse recommencé auquel contraint la musique, tel était pour moi le double bénéfice de l'apprentissage de la musique. Ma fille fit du piano pendant de nombreuses années. J'essayai de l'initier au monde merveilleux de l'opéra. *La Flûte enchantée* fut son premier opéra enchanté. *Così fan tutte* le suivit. Cet opéra philosophique, selon la conviction du philosophe Don Alfonso rappelant à plus d'un titre l'auteur du *Neveu de Rameau*, a l'audace incroyable de définir l'être humain comme essentiellement et profondément *changeant* et de le libérer ainsi de la tutelle religieuse qui l'enferme dans l'indissolubilité sacrale du lien matrimonial. Et, chose étonnante, cette énergie libératrice plut tellement à la petite fille de sept ans que celle-ci décida de s'endormir tous les soirs sous le charme de la joyeuse et rassurante force mozartienne; et ce rite vespéral dura au moins cinq ou six ans. De Mozart, je lui montrai même à Salzbourg en 1995 une représentation de *Don Giovanni* dans une mise en scène bouleversante de Patrice Chéreau. Ayant été impressionné par le travail de ce metteur en scène à Bayreuth sur la *Tétralogie* wagnérienne (je l'avais visionnée d'abord sur vidéodisque puis sur DVD), je voulais absolument voir cette réalisation pour finir mon livre *Enterrement de Don Juan — Histoire et société dans* Dom Juan *de Molière* (1996), et je n'hésitai pas à amener ma fille jusqu'à la très lointaine ville natale de Mozart. Julia-Madoka était sans doute la plus jeune, la plus petite spectatrice dans la grande salle du festival (*Großes Festspielhaus*) qui rassemblait plus de deux mille personnes. Elle était assise sur un gros coussin qu'une ouvreuse lui avait proposé. C'était le premier jour de sa vie où elle alla au lit après minuit. Nous parlons encore de la gigantesque tête d'empereur romain, l'expression métonymique de la statue du commandeur, qui a fait irruption à la fin du deuxième acte, au moment précis où sonnent en *fortissimo* les immenses accords en *ré* mineur annonçant l'arrivée de la statue, en brisant et broyant le mur du palais de Don Giovanni! Nous parlons encore de la puissance proprement sidérante et asphyxiante de la musique, magistralement et grandiosement interprétée par Daniel Barenboïm (encore lui!), qui soutenait toute cette scène!

Je constate aujourd'hui chez Julia-Madoka, d'une part, une joie extrême, celle de s'exprimer dans les langues, qu'elles soient d'origine ou secondes, et, d'autre part, un goût fébrile et passionné pour le *chant* qu'il soit mozartien, rossinien, beatlesien et autres, ce qui me pousse parfois à me plonger dans un long recueillement méditatif où je me demande ce que mon père dirait s'il se trouvait ressuscité devant sa petite fille incarnant si bien à mes yeux la leçon *paternelle*.

— Il faut déterrer M. Mizubayashi ! dit, un jour, sur un ton déterminé, autour d'une table qui réunissait amis et parents d'élèves de Mme Suzuki, la mère d'une jeune violoniste devenue depuis lors membre de l'Orchestre philharmonique de Munich.

Oui, c'est vrai, il faudrait invoquer tous les dieux de la terre pour ressusciter ce père, cet homme, ce professeur qui savait si bien aider un enfant à s'élever au-dessus de lui-même et qui, à sa manière, serait donc cette sorte d'*Oncle Jules* dont Daniel Pennac parle avec émotion dans *Chagrin d'école*.

8

Comment apprend-on une langue étrangère, une langue seconde comme on dit, une langue qu'on n'hérite pas de ses parents, une langue qui vous arrive, sur le tard, de l'extérieur? Comment arrive-t-on à posséder des mots? Comment parvient-on à maîtriser des expressions? Comment assimile-t-on des constructions grammaticales et des agencements syntaxiques? Lorsque je suis devenu père, j'étais bien décidé, sans doute comme beaucoup de pères, à observer chez ma fille le surgissement de mots, de suites de mots, et, plus généralement, l'apparition du français et du japonais. Mais ce n'était pas facile... Et puis ma fille, en fin de compte, n'offrait pas un bon observatoire pour la question de savoir comment une langue vient vous habiter tardivement. Chez elle, le japonais et le français avaient tous deux le statut de langue d'origine. Ou plutôt, nous avons essayé de faire en sorte qu'elle baigne dès les premiers instants de sa vie dans les deux langues à la fois. Dès lors, celles-ci ont fait leur apparition (presque) simultanément ; elles ont toujours cohabité. L'expérience de Julia-Madoka n'était donc pas comparable à la mienne.

En revanche, celle de Michèle qui fut un jour brutalement plongée dans la nécessité d'apprendre le japonais par la décision qu'elle prit de partager ma vie m'invite à imaginer *a contrario* ce qui s'est passé et se passe chez moi.

Michèle apprit les rudiments de japonais dans une école de langue. C'était un cours d'initiation en trois mois. Un cours bien construit qui lui permit de faire une première approche de cette langue si éloignée de la sienne : la phonétique, la grammaire, les deux systèmes d'écriture syllabique (*hiragana* et *katagana*) et ce vaste continent de significations que représentent les *kanji*, les idéogrammes. Cette première période d'acclimatation linguistique passée, elle continua à faire du japonais toute seule ou avec moi, tout au moins au début, qui lui servais de professeur improvisé. Il fallait qu'elle acquière prioritairement le japonais de survie pour ne pas multiplier les inconvénients liés à la barrière de la langue, pour éprouver le plaisir d'exister dans le tissu de la société et de s'affirmer dans les gestes simples et vitaux de la vie quotidienne. Il était alors naturel qu'on privilégiât l'oral au détriment de l'écrit. Des mois passèrent ; des années s'écoulèrent. La vie professionnelle s'intensifia. La vie familiale connut un changement majeur avec l'arrivée de l'enfant. Entre le métier d'enseignante et les occupations maternelles, Michèle disposait de peu de temps pour le reste. Enfin la vie qu'il lui fallait vivre l'emporta sur le souhait de continuer à demeurer étudiante. Un jour, Michèle ferma son livre et son cahier : elle se décida, non sans regret ni hésitation, à vivre sur ses acquis, à se débrouiller avec ce qu'elle possédait. Elle se persuada de se contenter, comme une bénéficiaire d'une rente viagère, de ses économies linguistiques.

Ce qui caractérise le japonais de Michèle, c'est l'empire du *parler*. Elle a appris à parler le japonais. C'est un japonais sensiblement marqué du sceau de l'*étrangéité*. Cela n'empêche pas qu'elle communique avec aisance dans le milieu professionnel, dans les relations familiales ou dans celles de voisinage. Elle parvient à se poser dans cette langue, alors même qu'elle lui reste extérieure parce qu'elle ne peut avoir accès à ce que j'ai appelé plus haut le « vaste continent de significations ». Oui, cette extériorité est privation. C'est le coût de l'écrit qui lui échappe. S'il subsiste bien des erreurs et des maladresses dans son *parler* comme des animaux sauvages relâchés en plein centre-ville, c'est qu'elles ne sont pas soumises à la surveillance des règles intransigeantes de l'écrit. Son *parler* est libre et insouciant parce qu'il est presque exclusivement dicté par l'urgence de communiquer, le besoin de s'exprimer qui, provenant des couches les plus profondes de son être français, néglige souvent les contraintes de grammaire et de comportement. D'où son étrange force de persuasion, en dépit et au-delà du caractère boiteux des énoncés proférés. Un seul exemple suffira pour illustrer mon propos.

C'était au moment du décès de mon père. À la suite d'une longue et pénible maladie, mon père succomba dans la nuit du 2 avril 1994. Il était hospitalisé. Il était donc parti seul sans que personne de sa famille ne fût à ses côtés à sa dernière heure. Son voisin de lit entendit la respiration de mon père devenir brusquement difficile et irrégulière; il appela l'infirmière. Quand celle-ci accourut, il ne respirait plus. J'arrivai chez mes parents tôt le matin. Le corps de mon père était posé sur un futon au ras du plancher. Ses narines étaient bouchées de coton. Je touchai son front. Il était glacial. Ma mère, préparée à cet instant, semblait s'empêcher de s'effondrer. Mon frère, assis près d'elle, me dit qu'il devait faire une communication dans un colloque d'historiens et qu'il comptait ne pas annuler sa participation, persuadé que notre père l'aurait nécessairement encouragé à accomplir sa tâche. Ma mère approuva son fils aîné, en rappelant que lorsque mourut le propre père de son mari, celui-ci ne demanda pas à Mme Suzuki l'annulation de la leçon de violon et préféra que son fils, accompagné de sa mère, aille chez son professeur comme prévu :

ni ma mère ni mon frère n'assistèrent aux obsèques du grand-père.

Quelques heures après, au crématorium, arriva le moment de saluer une dernière fois le défunt. On voyait à travers la petite ouverture du cercueil le visage de mon père habillé en pèlerin. Je joignis les mains. Michèle aussi. Et, juste avant que le cercueil ne se glissât dans le four, elle murmura ces mots en japonais :

— Vous m'avez donné tant de choses... vous veillerez sur nous de là-haut...

La phrase ainsi traduite est d'une banalité limpide, mais les mots japonais prononcés par Michèle avaient de quoi détourner le regard de ma mère. L'étrangère avait dit : « *Otoo-san, takusan agemashita-ne, watashi ni... Acchi kara yoroshiku onegaishimasu...* » Quelque chose d'étrange sonnait : une certaine gêne provenant de la combinaison du verbe « *ageru* » (donner) avec le sujet grammatical en deuxième personne et le sujet parlant posé en complément d'objet indirect ; mais surtout la deuxième partie de l'énoncé qui veut dire littéralement : « De là-bas, prenez bien soin de moi. » La dissonance venait du fait que cette expression toute faite s'emploie surtout lorsque deux personnes se rencontrent pour la première fois pour se promettre tout le soin qu'elles vont prendre de leurs relations à venir. Au moment où la vie de mon père s'achevait pour s'envoler en fumée, Michèle marquait, sans nécessairement le vouloir, la *naissance* d'une relation d'une autre nature...

Cette scène m'a toujours fait penser à une anecdote semblable rapportée par un professeur japonais. Son épouse francophone, au moment de l'accouchement dans une maternité tokyoïte, alertée et saisie par les premières contractions, a appelé obstétricien et infirmière, en criant à tue-tête : « *Gomenkudasaïmasé, gomenkudasaïmasé...* » Là encore, je suis frappé par l'étrange puissance d'une parole *inadéquate* émise par une étrangère qui ne possède pas entièrement la langue. « *Gomenkudasaïmasé* » est en effet l'expression utilisée par un visiteur — on le voit dans certains films d'Ozu — qui cherche à entrer en relation avec l'hôte au moment où il entrouvre la porte d'entrée à glissement latéral. Faute d'emploi certes, mais parfaitement clair, parfaitement capable en l'occurrence de dire à l'équipe médicale le désir de *visite*, celui de commencer une relation humaine...

Dans un cas comme dans l'autre, la parole de l'étrangère apparaît comme une parole neuve, virginale et authentique. Il s'agit certes d'une parole maladroite, fautive même, mais lourde de sens et infiniment persuasive dans une situation d'énonciation liée à la mort ou à la naissance : une parole vraie, articulée à mille lieues du souci de la correction.

9

Le français est une langue non seulement que je parle mais encore que j'écris. C'est en cela que mon expérience s'écarte de celle de Michèle qui, elle, n'écrit pas le japonais. J'avais beau chérir la sonorité de la langue française et m'y plonger dans mes leçons radiophoniques quotidiennes, je suivais un programme d'enseignement rigoureusement construit selon une stricte progression grammaticale allant de la conjugaison du verbe *être* à l'emploi du passé simple dans un récit historique, en passant par la maîtrise du subjonctif. Apprendre le français, c'était conquérir la grammaire point par point, règle par règle ; c'était aussi et surtout entrer en possession d'un ensemble de plus en plus riche, de plus en plus sophistiqué de structures grammaticales. Bien des mots, expressions, tournures, agencements syntaxiques se sont posés puis fixés chez moi dans des situations de communication qui rappellent immanquablement des visages d'amis ou de personnes simplement croisées dans la rue. Bernard qui m'a fait sentir la valeur du mot *terrible* lorsqu'une violoniste d'*I Musici* a fait deux ou trois fausses notes dans un passage solo des *Quatre Saisons* de Vivaldi ; Serge qui m'a révélé l'efficacité de la structure *Cela tient au fait que...* Une dame d'un certain âge qui, un jour, a harangué les passagers dans le métro : « Excusez-moi de vous déranger, *je me permets d'attirer votre attention* un petit moment... » Autant de situations, autant de visages, autant de mots entendus. *Feuilles verbales* volantes que j'ai attrapées et qui se sont gravées dans ma conscience d'une manière indélébile.

Mon avantage sur Michèle, c'est que le français n'a pas ce paysage infini de significations *idéographiques* qui rebute tant de débutants en japonais, même s'ils sont excellents randonneurs, bien chaussés, bien entraînés, et qui plus est animés de la meilleure volonté du monde. Résultat : je n'ai jamais fermé mon livre de grammaire ni mon cahier d'écriture et de citations. Je me souviens de la remarque de M. de La Bretèque, le directeur du Centre de formation pédagogique de l'université Paul-Valéry à Montpellier, lorsque je le rencontrai pour la première fois dans son bureau (on m'avait mis, d'après les résultats du test d'orientation, dans un groupe de professeurs stagiaires chevronnés ; je me sentais comme une barque au milieu de l'océan, un agneau dans une bande de loups ; il fallait que je dise à M. de La Bretèque que ce que je souhaitais n'était pas de recevoir prématurément une formation pédagogique, mais de suivre un entraînement au sens sportif du terme). Il me dit qu'il était surpris de la correction de mon français, que *je parlais comme un livre* en ajoutant aussitôt que c'était là un compliment plutôt qu'un reproche. Était-ce vraiment un compliment? Je n'en suis pas sûr. Ce qui est sûr en revanche, c'est que mon français oral manquait de naturel, qu'il ne se coulait pas dans les formes propres au registre oral. Il était entièrement façonné par l'apprentissage de l'écrit. J'avais en effet le sentiment, quand je parlais, de parcourir une *piste* préparée, de faire un *trajet* connu, de voir se dérouler devant moi une *succession* ordonnée de mots. J'étais sensible à un léger et irrattrapable retard de ma profération par rapport à une trace d'écriture préalable. Conscient d'assister à un défilé de discours dont j'étais à la fois producteur et auditeur, je ne cessais de me référer à moi-même à chaque instant de la parole énoncée. Depuis, en trente-cinq ans, j'ai sans nul doute gagné en naturel (qu'est-ce qu'il dirait aujourd'hui, M. de La Bretèque?), mais il n'en reste pas moins vrai que je conserve quelque part cet état de veille constante, cette part d'autosurveillance jamais relâchée qui ne vise qu'à la rigoureuse conformité de mes mots à un modèle d'écrit. On a coutume de penser que l'écriture n'est que la représentation de la parole vive préexistante. Il y a, et on le conçoit, des peuples sans écriture, mais pas d'êtres humains sans parole. Cependant, en ce qui me concerne, moi en tant que locuteur en français, j'ai toujours eu le sentiment que l'écriture précédait la parole...

D'où, à coup sûr, le plaisir que je goûtais dans l'exploration des expressions familières, vulgaires, voire argotiques. Car c'était de la parole pure enfin débarrassée du poids de la puissance normative de l'écrit scolaire. Ah, cette petite danseuse de Cahors venue faire un stage à Montpellier et qui me dit dans la grande sérénité d'un dimanche ensoleillé :

— Le dimanche, pour bouffer, il faut se démerder, les restos U sont fermés !

Ce beau Serge qui cria un radieux matin d'été avant de m'emmener vers le coin paradisiaque de son enfance languedocienne :

— Trois secondes, j'ai un bordel pas possible dans ma bagnole.

Ce Jean-Luc, étourdi et rigolo, qui m'invita un jour chez lui à écouter la *Deuxième Symphonie « Résurrection »* de Mahler et se scandalisa en ouvrant son réfrigérateur :

— Merde, j'ai que dalle, de la flotte seulement.

Et cette phrase de Michèle qui est toujours restée très discrète dans ce domaine :

— Ça ne casse pas trois pattes à un canard !

Phrase qu'elle prononça au sujet d'un article du *Monde* passablement ennuyeux (ou devrais-je dire *emmerdant*?)... Un souvenir en appelle un autre, un visage un autre, un mot un autre... Tenez, le verbe *foutre*, par exemple : « Il a *foutu* le camp ! », « *Foutez*-moi la paix ! », « Il se *fout* de ma gueule. » Et le mot *gueule* dans toutes ses apparitions : « C'est *dégueulasse* ! », « Il *gueule* comme un putois », « Il m'a *engueulé* comme du poisson pourri », etc. Autant de mots, autant de scènes et autant de visages.

Approcher peu à peu cette région du français était une expérience jubilatoire. Vous êtes invité chez un ami qui possède un grand appartement ou un grand pavillon. Il vous fait les honneurs de la maison. (C'est un détail de la vie française qui m'a surpris, soit dit en passant. Dans mon pays, avoir des invités à la maison, cela ne se fait pas facilement. À plus forte raison, leur en montrer tous les coins et recoins, cela est inconcevable. La maison est le théâtre des gestes privés, le lieu de l'intimité pudique qui ne se dévoile guère.) Il vous montre même la chambre des époux, la salle de bains et les toilettes, c'est-à-dire les espaces qui recèlent les secrets de l'intimité. Vous explorez une maison qui n'est pas la vôtre ; votre regard se promène dans les zones les plus reculées et se pose sur les objets le plus souvent cachés : le plaisir de l'*effraction*, celui d'Asmodée qui enlève les toits. C'était un peu cela, noter dans mon calepin une à une des locutions familières ou populaires. Augmenter le nombre de couleurs et de pinceaux à ma disposition, élargir mes possibilités d'expression, enrichir ma palette, en quelque sorte. Quoi de plus enivrant que de descendre ainsi dans les profondeurs d'une langue et de pénétrer jusque dans les plis de la conscience qui habite cette langue ! Et pourtant... et pourtant...

On me fait remarquer que les outils d'expression relevant du français non conventionnel ont une place fort réduite chez moi. C'est exact, je ne parle pas, je ne cherche pas à parler cette langue-là. J'ai fait tout mon possible pour me familiariser avec elle, car ne pas la connaître, ne pas savoir apprécier le parfum qu'elle dégage, c'est ignorer un aspect de Dame Littérature, passer à côté de tout un pan du patrimoine littéraire (disons en gros, dans mes habitudes de lecture, de Zola à Pennac en passant par Céline). Mais avoir et conserver une sensibilité active à cette langue-là est une chose ; en devenir un utilisateur habitué en est une autre. Non, je ne suis pas, loin de là, un habitué de cette langue. Ce n'est pas elle qui m'a nourri, ce n'est pas elle qui m'a élevé. C'est une grande maison que je contemple de l'extérieur. Même si elle est belle et confortable, je ne m'y sentirais pas à l'aise ni à ma place. S'il m'arrive de sortir du *bon usage*, c'est que dans certaines situations rares et particulières, cette langue-là est un signe de connivence naturel avec celui ou celle qui se trouve en face de moi. Mais enfin, c'est assez rare...

Qu'est-ce qui me retient au juste en deçà de cette langue ? Pourquoi n'oserai-je jamais m'en emparer ? Parce que, tout simplement, c'est quelque chose qui ne m'appartient pas. Ou c'est comme une femme inabordable. Je la trouve belle, je la désire. Mais je sais que je la regarderai toujours de loin, qu'elle ignorera mon existence, que je ne l'aurai pas enfin et qu'elle ne sera jamais *ma* femme même si je parviens à la connaître un peu. Je n'oserai jamais me dévoiler, me déshabiller devant elle... C'est une langue d'autrui, de l'autre, qui n'est pas à ma portée, qui me restera toujours extérieure et étrangère. J'aurais honte d'être comme un voleur, à moins d'accepter en toute lucidité de *jouer ce rôle* comme sur une scène de théâtre, ce qui, d'ailleurs, donne lieu à un plaisir cathartique certain. Comment aurais-je, autrement dit, l'audace de forcer la porte pour entrer dans l'espace intime de quelqu'un d'autre ? Pourquoi accoster une femme dans son boudoir, si je ne suis pas prêt à m'exposer à un jeu dangereux ? Non, ce n'est pas possible.

C'est donc une question de *pudeur*. C'est par pudeur que je ne saurais endosser cette langue-là. À Montpellier, j'avais connu un étudiant turc qui parlait remarquablement le français. Il maniait à merveille le français populaire et argotique. Mais, de temps à autre, dans son flot de paroles s'ouvraient inévitablement des failles d'où filtrait une impression d'arrogance éhontée. J'étais en admiration devant sa performance mais, en même temps, j'étais saisi d'une gêne, voire d'un dégoût qui m'empêchait de vouloir lui ressembler. Le goût amer de ce dégoût ne me quitta point.

10

Mais *parler*, cette étrange manie de l'homme, que ce soit dans votre propre langue ou dans celle qui vient d'ailleurs, n'est-ce pas au fond un acte qui défie la pudeur ? Parler, c'est exposer sa voix nue, dévoiler par sa voix sa manière absolument singulière d'exister, donc s'exposer à nu, une dénudation, d'une certaine façon. Si je laissais ma pudeur l'emporter, ne serais-je pas obligé de m'enfermer dans le silence, un silence bruissant de mots et d'émotions certes mais un silence tout de même ? Parler, c'est quelque part résister à la pudeur. M'arrive-t-il de parler sans pudeur, en total abandon de moi-même, sans me soucier du rôle que je suis fatalement amené à assumer face à un interlocuteur ou à une communauté d'interlocuteurs ? Il me semble que c'est lorsque je suis avec Mélodie, ma vieille chienne, ma fidèle compagne de douze ans, que je me trouve à peu près dans cette situation d'*a-pudeur*.

Mélodie est une golden retriever qui vit avec nous depuis l'âge de deux mois. Depuis qu'elle a appris à être en harmonie avec nous (c'est-à-dire depuis plus de onze ans et demi), elle est en totale liberté de circulation dans l'appartement. Il y a des zones interdites, mais elle n'est point tentée de s'y aventurer. Elle se place discrètement là où nous nous trouvons : sous la table, quand nous sommes à table ; à nos pieds, quand nous sommes installés sur le canapé dans la salle de séjour ; à côté de notre lit, quand nous nous couchons. La communauté familiale étant bilingue japonais-français, l'oreille de Mélodie est exercée à une acrobatie linguistique qui consiste à passer d'une langue à l'autre ou à décrypter des signes de l'une et de l'autre parfois simultanément présentes. Je donnerai un seul exemple qui montre que notre chienne parvient à entendre ce que nous disons dans l'une et l'autre langue de la famille.

Qu'il fasse beau ou qu'il fasse mauvais, qu'il pleuve ou qu'il neige, qu'un typhon passe ou qu'une tempête éclate, c'est mon habitude de faire une promenade le matin, une autre le soir avec Mélodie. Un chien de race retriever a besoin de se dépenser. Le week-end, le matin ou même le soir, si le temps s'y prête, loin du souci professionnel ou estudiantin, nous sommes souvent tous les deux ou tous les trois disponibles et prêts à flâner avec Mélodie. C'est toujours à table, au détour d'une conversation à bâtons rompus, que l'équipage se décide. Alors, couchée sous la table, Mélodie tend l'oreille à ce que nous disons.

— Bon, allez, dit l'un d'entre nous, on y va.

Immédiatement, Mélodie se lève, se dirige vers l'entrée et attend. J'arrive. Je prends la laisse et le petit sac de promenade qui contient une bouteille d'eau et des tracts publicitaires en guise de papier hygiénique. J'ouvre la porte et je dis : « *yoshi* » (vas-y). Mélodie se lance aussitôt. Nous habitons au premier étage d'un petit immeuble. Je suis maintenant sur le balcon qui conduit à l'escalier qu'on voit de notre rue. Je descends l'escalier, je remplis la bouteille d'eau et je sors dans la rue. Mélodie, quant à elle, reste en haut de l'escalier et m'observe. Je l'appelle plusieurs fois ; chaque fois elle me répond en dressant les oreilles.

— Allez, Mélodie, tu descends ?

J'ai beau crier son nom, elle ne descend pas, elle ne veut pas descendre parce que les deux autres promeneuses ne sont pas là. Mélodie aura compris en écoutant notre conversation que ce matin la promenade se fera en famille au grand complet. Julia-Madoka arrive à son tour. Elle descend l'escalier et me rejoint. Mélodie ne bronche pas. Non, tant que Michèle ne sera pas là, elle n'acceptera jamais de faire un seul pas. Mais dès que sa maîtresse sort sur le balcon et ferme la porte à clé, elle descend l'escalier à toute allure et se met en position de départ à côté de moi, tout en fixant son regard sur Michèle qui nous rejoint. Voilà. Chaque fois c'est comme ça, *immanquablement*. Dans la semaine, quand je suis seul à l'accompagner, elle sait d'avance que personne ne nous suivra : elle ne se retourne pas, elle ne s'attarde pas sur le balcon. Nous partons tous les deux pour emprunter le parcours habituel. C'est étonnant, la capacité de compréhension dont fait preuve parfois un animal.

Bref, Mélodie, à sa manière, pratique un bilinguisme. Avant de la connaître, je n'imaginais pas à quel point un chien était apte à *lire* les sentiments des humains. Elle se met toujours à côté d'une personne malade et alitée ; elle s'associe à celui ou à celle qui sombre dans un découragement plus ou moins durable ; elle déchiffre la colère pour l'apaiser et la joie pour la partager. Une fois, lorsque je grondais ma fille, petite écolière, pour je ne sais quel motif, en japonais principalement mais en français aussi pour mettre Michèle dans le coup, Mélodie se glissa entre le père et sa fille en pleurs, et prit délicatement ma main dans sa gueule pour me dire : « Arrête, ça suffit comme ça... » Et je pourrais multiplier les anecdotes. Je ne suis pas de ceux qui humanisent les animaux de compagnie en leur imposant un accoutrement ridicule. Mais après douze ans de vie passée en sa compagnie, je ne saurais douter que quelque chose passe entre nous. Elle ne parle pas certes, mais tout son corps me parle. Elle me lance à l'occasion un tel regard de tristesse ou de désarroi, elle me tend ses pattes l'une après l'autre avec une telle expression d'inquiétude, elle pousse quelquefois de tels gémissements que je suis naturellement amené à lui adresser la parole à mon tour. Oui, je lui parle, je parle à ma chienne, parfois très longuement, vous moquerez-vous de moi ? La question est alors de savoir dans quelle langue je lui parle. Dans les deux langues puisqu'elle est pour ainsi dire bilingue et moi aussi ! Avec Julia-Madoka, comme je l'ai dit, j'avais pris l'habitude de me conformer au choix de la langue qu'elle avait effectué. Avec Mélodie, je suis naturellement libre d'opter pour l'une ou l'autre. Alors comment mon choix linguistique s'opère-t-il ? Comment une langue plutôt que l'autre me vient-elle à l'esprit et surtout aux lèvres ? En fait, la plupart du temps, je m'adresse à Mélodie en japonais, et cela pour une raison simple. Mélodie est comme un enfant de trois ans. Or il me semble que je ne sais parler à un enfant, sans me mentir, sans être en contradiction avec moi-même, sans avoir le sentiment d'être forcé de jouer un certain rôle, que dans la langue de mon enfance. Là je me libère, je redeviens moi-même un enfant de trois ans, en remontant en vertu de la langue à un âge où je suis encore protégé contre l'ombre menaçante du surmoi.

— *Ne-e, ne-e, Mélodie-chan, nande sonnani kanashii kao shiten-no ?* (Alors, ma petite Mélodie, pourquoi tu as l'air si triste ?) *Otoo-san, shigoto dakara, hiru made hitori ni nacchau kedo, jiki ni kaeru kara ne. Mattete ne. Mélodie, iiko damon ne.* (Je travaille ce matin, tu es seule jusque vers midi. Mais je rentrerai tout de suite après. Tu m'attendras sagement, d'accord ? Tu es une grande chienne, ma petite Mélodie !)

Ma traduction française est impuissante à rendre la coloration enfantine du langage qui, face à Mélodie, se met en place spontanément. C'est que, dans la langue japonaise, beaucoup plus qu'en français, il y a des marques d'ordre non seulement lexical et syntaxique mais encore et surtout prosodique qui signalent que la parole est expressément adressée à un enfant. Ce sont là des traits discursifs enfantins. On mime donc le *parler* des petits en plaçant çà et là dans son discours d'adulte ces marques spécifiques. Un étranger saurait difficilement procéder à cette opération : elle n'est possible que si, dans le passé, on s'est profondément impliqué dans la langue enfantine. Avec Mélodie, c'est l'époque du monolinguisme japonais qui fait retour subitement et cela suscite chez moi, on le conçoit aisément, une certaine nostalgie.

Il m'arrive cependant de me surprendre en train de parler à Mélodie en français. Là, c'est un tout autre rapport qui s'instaure. Ce n'est plus à un enfant de trois ans que je parle. Je ne sais pas si un Français conversant avec un enfant a le sentiment de remonter le cours de son existence linguistique pour s'arrêter à un état de langue enfantine, s'il éprouve, autrement dit, le désir mimétique de se mettre au niveau de son très jeune interlocuteur. C'est ce que, d'instinct, je fais en choisissant le japonais. Et c'est précisément ce que je ne saurais faire en français : les portes de l'enfance française me sont fermées, elles sont condamnées. Quel hasard, en ce cas, veut-il que je parle à Mélodie en français ? C'est qu'elle vient occuper, au moment où je m'y attends le moins, la place d'ami. S'ouvre alors entre elle et moi l'espace d'une conversation amicale. Mélodie ne parle pas, mais elle s'exprime à travers moi. C'est moi qui lui prête la parole : un dialogue entre moi et moi, entre moi et un autre moi qui prend la place de Mélodie et sa figure. Elle est en face de moi. Elle fixe sur moi, comme cela arrive souvent, son regard pur de tout dessein malintentionné. Je lui confie mon souci. Elle me répond. Je lui confie un secret pour me débarrasser de son poids. Elle me donne des conseils, me suggère des idées. Son innocence interrogatrice a parfois une puissance de soulagement insoupçonné. Bref, je dialogue avec moi-même en français en empruntant ce détour précieux qu'est la bienveillante et constante présence de Mélodie. C'est toujours dans un moment de détresse que l'Amie Mélodie vient me tenir compagnie.

Mélodie est une figure de mon enfance japonaise, mais elle est simultanément celle de mon *double* français.

ÉPILOGUE

Le français, cette *langue venue d'ailleurs,* est une langue qui se parle en moi hors de toute situation d'interlocution. Parole muette, en quelque sorte, qui ne semble requérir aucune présence réelle pour résonner dans la caverne silencieuse de mes oreilles. C'est qu'elle est d'essence littéraire : la manifestation phénoménale d'une écriture originaire qui est la mémoire vibrante de toutes les fleurs verbales cueillies sur le chemin de la vie. Le souvenir des pages lues archivées qui sont comme une bibliothèque imaginaire ou même comme un panthéon personnel en perpétuel enrichissement. Et dans ce monument, je l'avoue, des *femmes* occupent une place de choix. N'est-il pas vrai que la femme est l'avenir de l'homme ? La vitalité de cette parole muette provient en effet d'une inépuisable énergie désirante qui cherche à atteindre des femmes. Parmi elles, il en est une à qui je voue un amour tout particulier. C'est Suzanne, ou *Susanna* dont la consonance italienne me plaît davantage.

Suzanne est la plus merveilleuse, la plus éblouissante des figures féminines que le XVIIIe siècle a léguées à la postérité. Si je ne l'avais pas connue dans mon adolescence lycéenne toute frémissante de désir, ma vie aurait été différente. D'abord, je ne serais pas en train d'écrire et de finir ce livre. Et puis, aurais-je découvert avec le même désir, avec la même intensité empathique cette autre figure emblématique du XVIIIe siècle volontariste qu'est Jean-Jacques Rousseau ? Celui qui a fondé tout l'édifice de la République sur la *volonté* commune de le construire ; celui qui a recherché d'un bout à l'autre de son œuvre, avec une obstination exemplaire, la transparence des cœurs, tout en dénonçant dans ses paroles véhémentes les apparences mensongères. Sans doute non. Et sans ce désir, sans cette intensité empathique, aurais-je maintenu le même feu, la même passion, la même ardeur pour continuer à demeurer et à m'immerger dans la langue de Rousseau qui, par ailleurs, habitait vraisemblablement le musicien miraculeux de Salzbourg ? Sans doute non.

Je dois donc ma seconde naissance à une double rencontre : celle de Wolfgang Amadeus Mozart et de Jean-Jacques Rousseau. De Wolfgang à Jean-Jacques, de Jean-Jacques à Amadeus, de Mozart à Rousseau, de Rousseau à Mozart, j'ai erré, papillonné de l'un à l'autre. Il m'est arrivé de butiner ailleurs pour un temps. Mais ils ne m'ont jamais quitté ; je ne les ai jamais abandonnés. Dans mon cœur et dans mon esprit, ils ne se sont jamais séparés; ils étaient toujours là, l'un à côté de l'autre. Et ils sont toujours là comme au temps de ma jeunesse enfuie. Wolfgang et Jean-Jacques, mes camarades de jeunesse. Mozart et Rousseau, mes compagnons de route, mes complices, mes frères, mes amis de toujours, l'un et l'autre.

J'ai cinquante-huit ans. Bientôt commence la quarantième année de ma vie placée sous le signe de la langue française.

Ainsi s'achève l'histoire de mes liaisons avec cette *langue venue d'ailleurs* que j'ai passionnément aimée et que j'aime toujours avec une ardeur sans pareille. Liaisons nécessairement laborieuses, quelquefois aventureuses et même imperceptiblement dangereuses, mais, tout compte fait, profondément et pleinement heureuses.

Dès lors, des questions s'imposent : « Qu'est-ce que je suis devenu en sa compagnie ? Qui suis-je ? Suis-je encore et toujours japonais ? »

Non... je ne pense pas que je le sois. Je ne le suis plus. Plus maintenant...

C'est non, définitivement non. Après avoir vécu les deux tiers de ma vie en français plus qu'en japonais, je ne suis plus, je ne me sens plus *attaché* à la communauté japonaise au sens ethnique du terme. Je ne souhaite pas, quoi qu'il en soit, qu'on me définisse selon mon appartenance nationale. Ce n'est pas parce que je suis né dans ce pays, de parents japonais, que je dois demeurer japonais pour toujours. Il est vrai que j'ai le sentiment d'être soutenu au plus profond de mon être par ma langue d'origine ; mais il n'en reste pas moins que je me détache avec un plaisir certain de mon territoire primitif. Je m'arrache volontiers à ce formatage initial et prédéterminé qu'est ma nature japonaise.

« Suis-je alors français ? » Bien sûr que non. Je ne le suis pas. Je ne le serai jamais, même si j'ai, un jour qui ne viendra probablement jamais, la nationalité française. Mais, d'abord, qu'est-ce que cela veut dire au juste, être français ? Cette interrogation peut-elle avoir un sens au-delà de son implication d'identité nationale au sens administratif du terme ? Je me pose en tout cas une question. Une question fondamentale comme celle que Figaro se posait, non pas le Figaro de Mozart et Da Ponte, mais cette fois le Figaro de Beaumarchais : « Quel est ce *moi* dont je m'occupe ? » Quel est en effet ce *moi* qui parle en français, qui écrit en français, qui réfléchit en français, qui aime en français, qui souffre en français, et qui va jusqu'à rêver en français (ce *moi*-là a même eu l'occasion, à l'Élysée, de donner des conseils à François Mitterrand qui partait au Japon, accompagné d'une de ses conseillères, E. G.) ? Peut-on le qualifier de français ? Je l'ignore... enfin, je ne le pense pas. Il se sent parfois si éloigné des mœurs de ces gens qui parlent leur langue, la sienne, si extérieur à leur pratique d'existence, leur style de vie. Il n'a vécu au demeurant qu'environ sept ans au total, c'est-à-dire si peu de temps dans une vie, sur le sol français. À la limite, il n'est attaché à la France que par ce lien à la fois ténu et puissant qu'est sa *langue*. Est-il d'expression française ? Oui, sans nul doute. Le français ne le quitte jamais. Il habite profondément le français, selon l'expression chère à Cioran.

Nancy Huston écrit : « L'acquisition d'une deuxième langue annule le caractère naturel de la langue d'origine — à partir de là, plus rien n'est donné d'office, ni dans l'une ni dans l'autre ; plus rien ne vous appartient d'origine, de droit et d'évidence. » Voilà une affirmation qui me va droit au cœur. Le jour où je me suis emparé de la langue française, j'ai en effet perdu le japonais pour toujours dans sa pureté originelle. Ma langue d'origine a perdu son statut de langue d'origine. J'ai appris à parler comme un étranger dans ma propre langue. Mon errance entre les deux langues a commencé... Je ne suis donc ni japonais ni français. Je ne cesse finalement de me rendre étranger à moi-même dans les deux langues, en allant et en revenant de l'une à l'autre, pour me sentir toujours décalé, *hors de place*, à côté de ce qu'exige de moi toute la liturgie sociale de l'une et de l'autre langue. Mais, justement, c'est de ce lieu écarté que j'accède à la parole ; c'est de ce lieu ou plutôt de ce *non-lieu* que j'exprime tout mon amour du français, tout mon attachement au japonais.

Je suis étranger ici et là et je le demeure. Dans la conjoncture actuelle où *être étranger* et le mot *étranger* même deviennent suspects ou, pour tout dire, politiquement incorrects (qu'est-ce que c'est que ce piètre concert universel des identités ?), je revendique sans honte ni tristesse mon *étrangéité* : ce double statut d'étranger que je porte en moi, qui me permet de tendre sans cesse vers une perspective sur le réel qui est celle de l'Autre, et donc de conserver le désir brûlant de sortir de moi comme une machine thermodynamique alimentant en énergie le nécessaire mouvement migratoire de la pensée. Je ne peux pas ne pas croire à la force salutaire de l'*étrangéité*.

L'auteure canadienne, d'expression française et anglaise, distingue les vrais bilingues des faux bilingues dont elle relève selon son propre aveu. Avec la meilleure chance du monde, je ferais partie des faux bilingues. Chez eux, c'est la langue adoptive qui meurt en premier, dit-elle. La langue d'origine, maternelle, demeure, *inarrachable*. Mon français va donc mourir avant même que ne meure mon corps ? Triste vérité. Mais je me considérerai comme mort quand je serai mort en français. Car je n'existerai plus alors en tant que ce que j'ai voulu être, ce que je suis devenu de mon propre gré, par ma souveraine décision d'épouser la langue française. Il n'y aura jamais de divorce entre elle et moi. Jamais. Je ne souhaite pas vivre plus longtemps que mon français. Un jour de plus peut-être à la rigueur.

Mon père avait coutume de dire à sa femme :

— Puisque nous sommes tous mortels et que je dois mourir un jour, j'aimerais mourir le lendemain de ta mort.

DU MÊME AUTEUR

Aux Éditions Gallimard

UNE LANGUE VENUE D'AILLEURS, 2011, collection *L'un et l'autre* (Folio n° 5520).

COLLECTION FOLIO

Composition Floch
Impression Novoprint
à Barcelone, le 14 novembre 2019
Dépôt légal : novembre 2019
1ᵉʳ dépôt légal dans la collection : avril 2013

ISBN 978-2-07-045036-7./Imprimé en Espagne.

365658